CB030519

fartura

EXPEDIÇÃO BRASIL GASTRONÔMICO

(Início da Expedição Brasil Gastronômico)

MG ▪ RJ ▪ PE ▪ CE ▪ RN ▪ AM

TERROIRS ▪ INGREDIENTES ▪ CHEFS ▪ MERCADOS

Guta Chaves, Rodrigo Ferraz e Dolores Freixa

EDITORA MELHORAMENTOS

Expedição Brasil gastronômico: terroirs, ingredientes, chefs, mercados – Expedition gastronomic Brazil / texto de Guta Chaves e Dolores Freixa; versão para o inglês por Maricene Crus; idealização de Rodrigo Ferraz. São Paulo: Editora Melhoramentos, 2013. (Arte Culinária Especial)

Edição bilíngue – Edição colaborativa: Editora Boccato
ISBN 978-85-06-07167-0

Gastronomia. 2. Culinária brasileira. I. Chaves, Guta. II. Freixa, Dolores. III. Crus, Maricine. IV. Ferraz, Rodrigo. V. Série.

13/061 CDD 641.5

Índices para catálogo sistemático:
1. Gastronomia 641.5
2. Culinária – Receitas 641.5
3. Terroir – Culinária brasileira 641.59
4. Ingredientes – Culinária brasileira 641.59
5. Aptidões agrícolas – Gastronomia

COORDENAÇÃO EDITORIAL • *EDITORIAL COORDINATION:* Guta Chaves
TEXTO • *TEXTS:* Guta Chaves, Dolores Freixa
PESQUISA • *HISTORICAL, ANTHROPOLOGICAL AND GASTRONOMIC RESEARCH:* Dolores Freixa
EDITORA (TEXTOS E RECEITAS) • *EDITOR:* Lilian do Amaral Vieira (colaborou com as receitas: Silvia Santilli)
REVISÃO DE TEXTO • *REVISION:* Ricardo Jensen
TRADUÇÃO E REVISÃO (VERSÃO EM INGLÊS) • *TRANSLATION AND REVISION (ENGLISH VERSION):* Maricene Crus
PROJETO GRÁFICO E DIREÇÃO DE ARTE • *ART DIRECTION:* Dushka Tanaka, Carlo Walhof (estudio vintenove)

Equipe Expedição Gastronômica ▪ *Gastronomic Expedition Team*
IDEALIZADOR/*CREATOR:* Rodrigo Ferraz.
COORDENADOR/*COORDINATOR:* Alexandre Minardi. CONSULTORIA GASTRONÔMICA/*GASTRONOMIC CONSULTANCY:* Joana Munné/Síbaris. PRODUTORAS GASTRONÔMICAS/*PRODUCERS*: Joana Munné, Fernanda Cunha, Veridiana Mott. PRODUTORA/*PRODUCER:* Camilla Procópio. VÍDEO (DIRETOR)/VIDEO (DIRECTOR): Fred Tonucci. VÍDEO (CÂMERAS)/*VIDEO (CAMERAS):* Rodrigo Sampaio, Leonardo Siqueira, Levi Mendes. FOTÓGRAFOS/*PHOTOGRAPHERS:* Guiri Reyes, Adriano Fagundes, Rogério Assis. COLABORARAM NA COLETA DE DADOS/*COLLABORATORS FOR THE TEXT:* Fernanda Cunha, Joana Munné, Veridiana Mott, Fábio Silva, Adriana Lucena
FOTOS: Amazônia e Rio Grande do Norte (Adriano Capiberibe Franco Fagundes e Leonardo Silva de Siqueira), Minas Gerais e Rio de Janeiro (Guiri Reyes e Rodrigo Machado Sampaio), Pernambuco e Ceará (Rogério Assis e Levi Mendes Junior), Shutterstock (págs. 70, 109, 118, 260), Istockphoto (pág. 256), Sambaphoto (págs. 163 – Edu Simões, 263 – Geyson Magno)

1.ª edição, 2.ª impressão, setembro de 2018
ISBN 978-85-06-07167-0

Atendimento ao consumidor:
Caixa Postal 729 • CEP: 01031-970
Rua Tito, 479 • Vila Romana
São Paulo – SP • Tel.: (11) 3874-0880
www.editoramelhoramentos.com.br
sac@melhoramentos.com.br

Impresso na Índia

A van do Festival Cultura e Gastronomia Tiradentes, que levou a equipe da Expedição, formada por pesquisadores, produtores, fotógrafos e câmeras, pelo Brasil a dentro

The van from the Festival Cultura e Gastronomia Tiradentes, that drove the expedition team, formed by the researchers, producers, photographers and cameras, throughout Brazil

SUMÁRIO

riquezas da nossa terra

A equipe do **Festival de Cultura e Gastronomia de Tiradentes** — em sua **15.ª edição**, realizada em 2012 — lançou um projeto grandioso e desafiador: percorrer, em uma **expedição**, os estados brasileiros, desbravando as regiões para entender e documentar a **diversidade** dos nossos ingredientes e conhecer a dedicação das pessoas que os produzem. Como resultado, nasceu o livro *Expedição Brasil gastronômico*, com a ideia de visitar **seis estados por ano** — nos 12 primeiros estão os locais que sediarão a Copa de 2014.

Com o pé na estrada, em 2012 a **Expedição Brasil Gastronômico** viajou para **Minas Gerais**, **Rio de Janeiro**, **Pernambuco**, **Ceará**, **Rio Grande do Norte** e **Amazonas** e agora publica o primeiro volume dessa série. Ele resulta de uma iniciativa pioneira: levamos em consideração os **biomas brasileiros** — Amazônia, Mata Atlântica, Cerrado, Caatinga, Pantanal e Pampas — para refletir sobre os terroirs, ou seja, o conjunto de fatores que influenciam na qualidade e na particularidade do ingrediente, como as condições naturais — clima, relevo, altitude e solo —, somadas ao fator humano, todos ligados muitas vezes às tradições locais e à história, no cuidado com os **recursos agrícolas**, pecuários ou mesmo extrativistas.

Num **país tão rico** em biodiversidade, não foi fácil escolher os produtos e os produtores. Como poderemos constatar ao longo desta obra, a gastronomia vai além do restaurante e do chef. Envolve, antes, uma **grande cadeia produtiva**, que começa com o produto, sendo o centro de tudo o **produtor**, seja ele familiar ou industrial, escoando para o comércio, ou seja, os mercados e as feiras, instituições catalizadoras de toda essa rede produtiva.

INTRODUÇÃO

Como critérios, adotamos alguns que têm forte ligação com os **costumes alimentares** das comunidades, como a tribo sateré-maué, do Amazonas, que há séculos processa o guaraná como fonte de alimento energético. A seleção engloba **produtos mais recentes**, que se adaptaram muito bem ao terroir de determinada região, destacando-se o cultivo das uvas para produção de vinho no Vale do São Francisco, em Pernambuco. Os **chefs** também tiveram participação ativa na escolha dos ingredientes e, com seus pratos, expressaram o sabor deles, cujas **receitas** são oferecidas nesta publicação.

Buscamos escolher produtores ligados às **boas práticas**, preocupados em **não prejudicar o meio ambiente**, em respeitar a sazonalidade e proporcionar condições dignas de trabalho. Inseridos nesse contexto estão os **orgânicos,** cultivados sem o uso de agrotóxicos e fertilizantes químicos, no Rio de Janeiro.

A **agricultura familiar** é um dos destaques desta obra, que traz à luz as **cooperativas locais** e as **empresas** que trabalham com qualidade, novas tecnologias, inclusão social e **qualificação da mão de obra** e adotam práticas de manejo sustentáveis. Foi emocionante constatar pelo Brasil exemplos de **convivência harmoniosa** entre ser humano e natureza, o que revela a **sabedoria** desses povos na manutenção dos recursos naturais.

Convidamos você a entrar nessa **viagem transformadora** e a sentir, como nós, o orgulho de fazer parte deste **imenso país**, com uma **grande riqueza gastronômica**, hoje valorizada e reconhecida internacionalmente.

conheça os biomas brasileiros

O maior bioma brasileiro, a Amazônia, ocupa praticamente um terço da área do país, espalhando-se pelos estados do Amazonas, Pará, Roraima, Rondônia, Amapá, Acre, Maranhão, Tocantins e Mato Grosso. Suas paisagens são compostas de florestas densas e alagadas, igapós, várzeas e matas de terra firme, com grande diversidade de flora e fauna. O clima é equatorial, quente e muito úmido. Por causa dos inúmeros e imensos rios que permeiam a Amazônia, há uma grande variedade de peixes, base da alimentação amazonense. Essa composição torna o extrativismo uma prática local, destacando-se o açaí, a castanha-do-brasil e a pesca, uma prática dos chamados "povos da floresta", como indígenas, ribeirinhos, quilombolas e outras populações tradicionais dessa área.

O Cerrado é o segundo maior bioma do país, presente nos estados de Goiás, Mato Grosso, Mato Grosso do Sul, Minas Gerais, Tocantins, Amazonas, Bahia, São Paulo, Maranhão, Piauí e Distrito Federal. Entre o campo seco, as úmidas matas de galeria e as formações de vales e chapadas, há um rico conjunto de formações vegetais representadas por arbustos, gramíneas e árvores de pequeno porte. Esse bioma hospeda uma infinidade de aves, répteis, mamíferos, anfíbios e peixes, e nele estão as nascentes das principais bacias hidrográficas brasileiras. Seus recursos representam a base da sobrevivência de muitas famílias.

A Caatinga, bioma exclusivamente brasileiro e o mais representativo do Nordeste, abrange os estados do Ceará, Bahia, Sergipe, Pernambuco, Alagoas, Paraíba, Rio Grande do Norte e Piauí, além de pequenas áreas do Maranhão e Minas Gerais.

ILUSTRAÇÃO NIK NEVES & MARINA C.

É composta por centenas de arbustos e árvores baixas, como juazeiro, umbuzeiro e cajueiro, e cactáceas, a exemplo do mandacaru e do xique-xique, que armazenam água para sobreviver nos períodos secos. Abriga comunidades sertanejas que hoje buscam aprender a conviver com os recursos do semiárido, coletando e cultivando de forma justa e solidária.

Patrimônio Natural da Unesco, no Pantanal, uma das maiores áreas alagadas do planeta que abrange os estados do Mato Grosso e Mato Grosso do Sul, boa parte das terras é coberta por lagoas e charcos, num terreno caracterizado por baixa altitude e pouca declividade. É uma região em que o homem e a natureza convivem em harmonia, num ciclo de cheias e secas. São mais de 260 espécies de peixes, além de répteis como jacarés, e mais de 400 espécies de aves. O pantaneiro vive da criação de gado extensiva, sendo o boiadeiro o símbolo local.

Único bioma brasileiro situado nos limites de um único estado, o Pampa ocupa 63% do território gaúcho. De clima temperado, nos campos do Sul prevalecem as planícies, os planaltos gaúchos e as coxilhas de relevo suave, que apresentam arbustos e gramíneas. Divide-se em Planalto da Campanha, Depressão Central, Planalto Sul-Rio-Grandense e Planície Costeira. Apegado às suas tradições, o gaúcho está muito envolvido com a criação de gado e, hoje, com produtos novos que se adaptaram bem aos solos do estado.

Englobando quase toda a região litorânea do Brasil, desde o Rio Grande do Sul até o Rio Grande do Norte, a Mata Atlântica ocupa menos de um décimo de sua área original. Concentra-se principalmente na Serra do Mar. Nesse bioma houve uma grande expansão agrícola, com a produção de cana-de-açúcar, café e cacau, desde o século XVII até o século XX, o que gerou um grande desmatamento. Essa importante floresta tropical possui mais de 25 mil espécies de plantas, e, entre as árvores, podem-se citar o pau-brasil, o palmito e o jatobá. Associados a esse bioma estão os ecossistemas da zona costeira, com manguezais, restingas, falésias, ilhas, lagoas e estuários. Das populações locais da Mata Atlântica constam os caipiras, os caiçaras, os jangadeiros e os pescadores artesanais.

pé na estrada

A EXPEDIÇÃO GASTRÔNOMICA

O desafio de uma equipe que percorreu de van, de avião e de barco, milhares de quilômetros, experimentando a riqueza gastronômica do nosso país.

On the road

The challenge of a team that traveled by van, plane and boat, for thousands of kilometers, experiencing the gastronomic wealth of our country.

6 estados
51 cidades
18.194 km

6 states • 18.194 km • 51 cities

REGIÃO
Serro
Sto. Ant. do
Serra Azul

LIMITE DE MUNICÍPIOS
Manaus
Rio Preto da Eva
DETRAN-AM

Canon
EOS 7D

PARE
MINISTÉRIO DA CULTURA E BRADESCO APRESENTAM:
EXPEDIÇÃO CULTURAL E GASTRONÔMICA PELO BRASIL
HNG-2104

HNG-2104

amazonas

a expedição

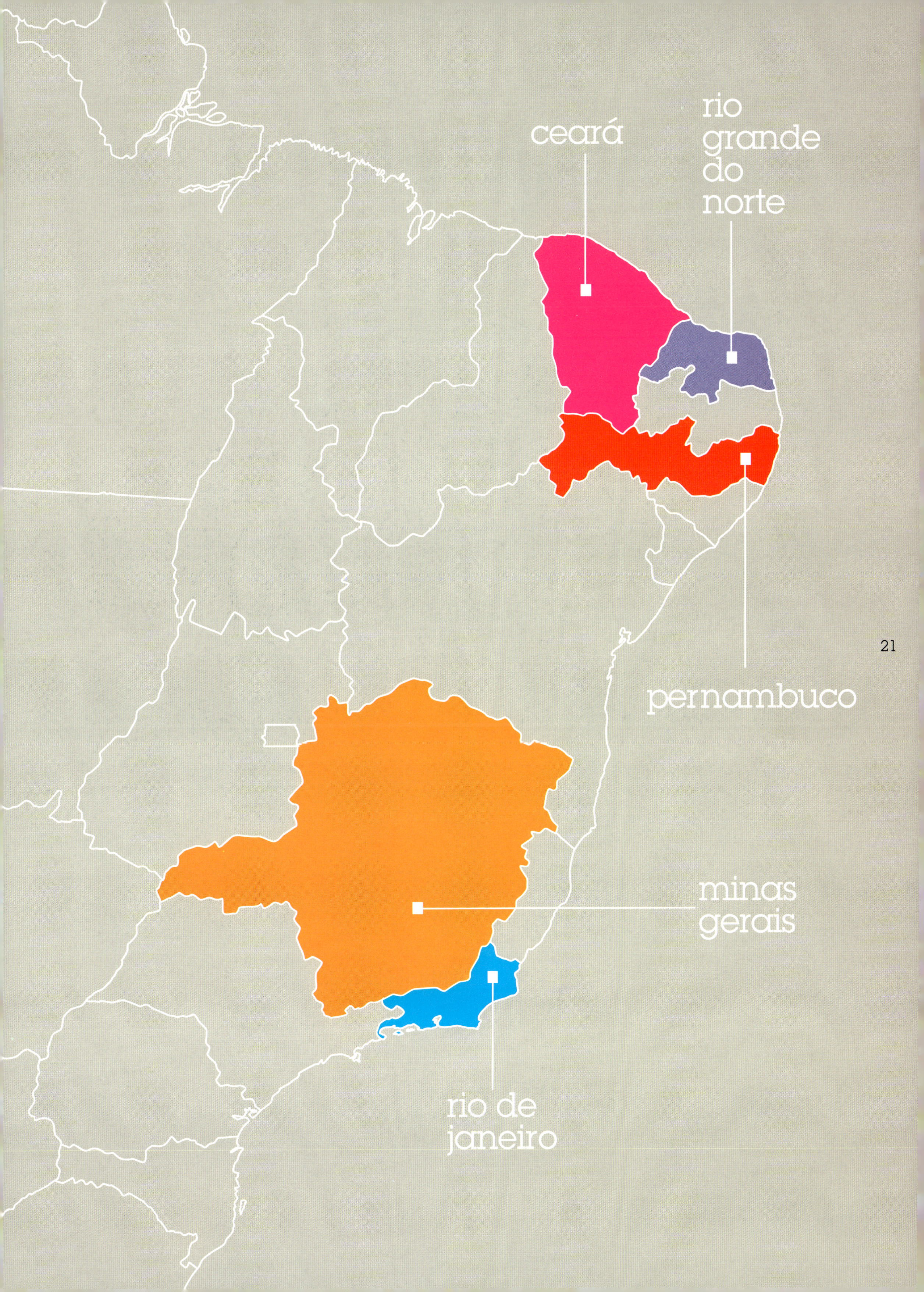
ceará
rio grande do norte
pernambuco
minas gerais
rio de janeiro

1 O ESTADO DE Minas Gerais

Minas são muitas, como bem disse o grande escritor **Guimarães Rosa**. É o norte semiárido, do gado e da cachaça. É a região da **Zona da Mata**, fértil para a agricultura e tradicional na **criação de porco**. É o **Cerrado Mineiro**, com terra roxa de altitude para a **produção de café**, além de declives e vales em que pastam as vacas que dão o leite para os famosos **queijos mineiros**, verdadeiros **patrimônios do estado**.

Mas a mineirice está presente nos quatro cantos: **contador de causos**, o mineiro cativa com seus "uais", seu jeito tenaz, contemplativo e **hospitaleiro** de receber com a mesa farta de **quitandas** – um conjunto de quitutes como bolo, broa de milho, **pão de queijo** e biscoitos de polvilho, servidos com **cafezinho**. Desde longa data, em Minas se aprendeu a preservar a identidade e a **pelejar pela liberdade**. O **"coração do Brasil"** tem grandes nomes de que se orgulhar — basta olhar Os profetas, de Aleijadinho, em Congonhas do Campo, ler

Minas Gerais

Igreja matriz de Santo Antonio, construída no século XVIII, em Tiradentes

Santo Antonio Church, built in the eighteenth century, in Tiradentes

Queijo do Serro, de massa compacta e macia, com baixa acidez

Serro cheese, of compact and soft mass, with low acidity

os poemas de **Carlos Drummond de Andrade**, ouvir as músicas de **Milton Nascimento**, vibrar com o talento de **Pelé**.

A **alma artística** e **religiosa** do povo se expressa nas comemorações dos santos, como a festa de **Nossa Senhora do Rosário**, nas animadas congadas e nas **Folias de Reis**, tradição centenária cujos brincantes são recebidos de casa em casa com muita comida e cantoria.

A Expedição Gastronômica seguiu a **trilha dessa história tão rica**, percorrendo parte da **Estrada Real**. Esse roteiro turístico abrange cidades ligadas ao ciclo do ouro, no século XVIII — por onde os tropeiros transportavam as **riquezas** para o porto do Rio de Janeiro —, e congrega atrações como casas em **estilo colonial**, igrejas e **museus**. Por onde passa, o turista aprecia excelente comida, como o **angu de milho verde**, o **leitão à pururuca** e o **torresmo**, entre as muitas delícias locais.

vale do jequitinhonha e norte de minas

O Vale do Jequitinhonha é terra de gente simples, com grande dom artístico. São de lá as famosas bonecas coloridas de argila que encantam o Brasil e o mundo. A região, no norte do estado, exuberante e extensa, é cheia de chapadas e grutas.

Despontou no século XVIII, quando a Coroa portuguesa descobriu no Arraial do Tijuco, hoje Diamantina, uma fortuna em pedras preciosas. À beira da Serra dos Cristais, a cidade, Patrimônio Cultural da Humanidade, ainda preserva os belos casarios coloniais. É terra de Chica da Silva, escrava alforriada que teve um relacionamento com o contratador de diamantes João Fernandes de Oliveira e influenciou a sociedade local.

Serro, no Alto do Jequitinhonha, divisa com o Vale do Rio Doce, reserva uma paisagem emoldurada por quedas-d'água, paredões de pedra e uma intensa serração. Tudo à sua volta remete à época do garimpo, com suas subidas íngremes, ruas estreitas de pedras e arquitetura barroca.

Atualmente a maior riqueza de Serro é a produção de queijo, que, feito de modo tradicional, é registrado como Patrimônio Imaterial pelo Iphan. A fabricação é motivo de festa, que acontece entre agosto e setembro, no Parque de Exposições, com concurso leiteiro, shows e vaquejada.

Salinas, ao norte, é a capital mundial da cachaça artesanal de alambique. Fica no Chapadão do Itacambira, cujo clima semiárido é propício à fabricação. A aguardente começou a se tornar uma importante atividade econômica em 1950, com nomes como Anísio Santiago, que ganhou fama com a cachaça Havana. Na década de 1990, isso gerou boas marcas, comercializadas e reconhecidas em todo o país e no exterior. A Expedição Gastronômica teve o prazer de vivenciar o cotidiano de alguns produtores locais, guardiões da tradição culinária regional.

A REAL
23 km
46 km
63 km
REGIÃO ESTRADA REAL
Alvorada de Minas
Serro
Diamantina

PRODUTO ▪ QUEIJO DO SERRO ▪ TERROIR

O paladar inconfundível do queijo do Serro é o resultado de vários fatores, como o microclima: com altitude média de 800 metros, as diferenças de temperatura entre os dias quentes e as noites frias da montanha causam o aparecimento de bactérias particulares, concentradas no processo que separa o soro do leite coalhado. Elas dão origem ao pingo, que escorre durante a cura e é usado como fermento natural. Trata-se de um queijo de massa compacta, macia, amanteigada, com pequena acidez. Em 2011 obteve Indicação Geográfica, que delimitou os municípios produtores: Serro, Alvorada de Minas, Conceição do Mato Dentro, Dom Joaquim, Martelândia, Paulistas, Rio Vermelho, Sabinópolis, Santo Antônio do Itambé e Serra Azul de Minas.

PRODUTOR

Queijaria Engenho da Serra [Serro]

O Engenho da Serra é uma das inúmeras queijarias localizadas numa encosta da Serra do Espinhaço. Um dos segredos é que o produto ainda hoje é preparado como antigamente, seguindo os rigorosos padrões de fabricação artesanal. O responsável pela elaboração é o queijeiro Francisco Pereira de Jesus, que é quem acrescenta o pingo ao leite coagulante. O queijo é colocado em fôrmas, retirando-se o soro e salgando-o; desenformado, vai para os girais maturar (o meia-cura, macio por dentro e amarelado por fora, fica pronto em cerca de 14 dias). Jorge Simões, o proprietário, participou do documentário O mineiro e o queijo, *do diretor Rusty Marcellini, que enfoca as dificuldades de distribuição fora do estado por causa da legislação: é feito de leite cru. Tudo isso foi relatado à equipe da Expedição na cozinha da fazenda, junto ao fogão a lenha onde se tomou um cafezinho e se experimentou o queijo, que estava maravilhoso, fresquíssimo e cheio de histórias!*

PRODUTO ▪ CACHAÇA ARTESANAL ▪ TERROIR

"Os municípios localizados nos boqueirões de Salinas, que possuem solo semiárido, com terra fina, maciça, com pouquíssimo sal, é que são propícios ao cultivo da cana", explica Osvaldo Mendes Santiago, da emblemática Anísio Santiago. O clima é semiárido, com período de chuvas bem definido. Salientam-se a qualidade da cana, as variedades java e uva, com ótimo teor de açúcar. Essa excelência se completa com a fabricação da cachaça artesanal em alambique de cobre, envelhecida em barris de madeira — como umburana, ipê, jequitibá, jatobá — por pelo menos dois anos. Algumas amadurecem entre seis e dez anos.

PRODUTOR

Fazenda Havana [Salinas]

Conhecida internacionalmente, a Havana — Anísio Santiago é símbolo de cachaça artesanal brasileira, valorizada como produto de luxo. Desde 2009 possui Certificado de Origem do Instituto Mineiro de Agropecuária (IMA), que reconhece a produção baseada em conceitos de sustentabilidade econômica e ecológica e confere valor agregado ao produto.

A Fazenda Havana, com 180 hectares, foi fundada por Anísio Santiago em 1942 e logo começou a produzir pinga de alto nível, envelhecida de oito a dez anos em bálsamo. Após a morte do pai, o filho Osvaldo Santiago assumiu o comando e o desafio de manter o padrão, sem adição de produtos químicos. "Tudo o que se faz com amor, com a busca da perfeição, tem qualidade", diz Santiago.

INDUSTRIA BRASILEIRA
AGUARDENTE DE CANA
600 ml
ANÍSIO SANTIAGO
INGREDIENTE:
ARMAZENADA EM BALSAMO
Salinas - M.Gerais
INDUSTRIA BRASILEIRA
ANÍSIO SANTIAGO
Salinas - M.Gerais
INDUSTRIA BRASILEIRA
600 ml
HAVANA
INGREDIENTE:
ARMAZENADA EM BALSAMO
Salinas - M.Gerais

cerrado mineiro

O Cerrado Mineiro é um bioma que ocorre em boa parte de Minas Gerais; nele, arbustos, gramíneas e pequenas árvores de galhos tortuosos formam as veredas que se encontram com as nascentes dos riachos, por entre as montanhas das Gerais.

Exemplo da incrível diversidade é o Parque Nacional da Serra da Canastra, no sudoeste do estado, em que animais em vias de extinção, como lobos-guarás e tamanduás-bandeiras, circulam livremente. Considerado um importante roteiro para o turismo ecológico e de observação de pássaros, no parque ficam a nascente do extenso rio São Francisco e sua primeira grande queda-d'água, a cachoeira Casca d'Anta, de cerca de 200 metros, um verdadeiro cartão-postal, que encheu de orgulho os mineiros que faziam parte da equipe da Expedição.

A porta de entrada para o parque e a região do queijo canastra é São Roque de Minas. À distância já se vê a imensa formação rochosa de 60 km de extensão em forma de baú (canastra, para os mineiros).

Em pleno Cerrado, o antigo Arraial das Formigas, hoje Montes Claros, local de passagem das tropas que se embrenhavam pelo sertão de Minas, atraiu muitos fazendeiros criadores de gado. Essa é uma das razões pelas quais a carne serenada se tornou uma das grandes atrações da gastronomia local.

No Brasil, a primeira região demarcada de café foi o Cerrado Mineiro. Nela se desenvolve um grão especial, de alto padrão de qualidade, fino, requintado, com aroma intenso — o que torna a cafeicultura importante para a economia local. Entre os municípios produtores estão Patrocínio, Araguari, Aimorés, Monte Carmelo e Araxá. Em Lagoa Formosa, localiza-se a Fazenda do Baú, com um excelente café de altitude, característico da região.

PRODUTO ▪ CARNE SERENADA ▪ TERROIR

A vocação de Montes Claros para a pecuária possibilitou a escolha de um bom corte de lagarto para fazer a carne serenada. Favorece, ainda, o fato de a cidade estar a 1.200 metros de altitude, possuindo dias secos e noites úmidas. A famosa carne fica ao sereno, protegida por uma cobertura de tela nas laterais e um telhado — o serenador.

PRODUTOR

Churrascaria João Maia [Montes Claros]

João Maia, dono da churrascaria que leva seu nome, inventou a carne serenada nos anos 1970. Fez tanto sucesso que os filhos, Armando e Fernando, continuam reproduzindo essa criação. No preparo, se fazem dois cortes longitudinais na peça de lagarto, que é salgada em seguida. A carne é colocada em uma travessa, com a gordura para baixo, por cerca de três horas; depois, retirado o excesso de sal, ela fica dois dias pendurada no serenador. Infelizmente, como não possui Selo de Inspeção Federal (SIF), o produto é vendido somente no estado. A equipe da Expedição descobriu que a demanda de 500 quilos por semana se deve ao fato de a churrascaria estar ao lado de um posto de gasolina, o que atrai muitos caminhoneiros, que param por causa da boa comida. Além de se deliciarem com a carne, os clientes se servem de paçoca de pilão, pé de moleque, torresmo e linguiça caipira, seguindo a tradição dos antigos tropeiros, que, atravessando as Minas Gerais, gostavam de pousar no então vilarejo.

cerrado mineiro

PRODUTO ▪ CAFÉ ▪ TERROIR

O Cerrado Mineiro possui recursos naturais para cultivar um dos melhores cafés do Brasil, da espécie arábica. A altitude — cerca de 1.000 metros —, o solo de terra vermelha, com boa matéria orgânica, as temperaturas entre 18 °C e 30 °C, com poucas possibilidades de geadas, e as chuvas, de outubro a abril, ajudam a floração e a formação do grão. É fundamental, também, a habilidade do produtor no manejo do café.

PRODUTOR

Fazenda do Baú [Lagoa Formosa]

A Fazenda do Baú está localizada num platô de 1.000 metros de altitude, na Chapada de Lagoa Formosa. Com mais de 700 hectares plantados, a propriedade pertence a Célia e Tomio Fukuda e aos filhos Durval e Lissa. A família produz cafés gourmet, da espécie arábica, optando pelas variedades mundo novo e bourbon vermelho, que se destacam no mercado, diferenciados em termos de aroma e sabor. Há, ainda, o tupi, de paladar encorpado e frutado. Destaca-se também o café DOT (dried on tree)*: seco na árvore, o grão propicia concentração de aromas; dele se faz apenas um lote. O investimento em tecnologia, com despolpadores e secadores de ponta, que protegem o café de cheiros indesejados, e a qualificação da mão de obra foram fundamentais para receber a certificação de café especial, conquistar prêmios e ganhar o mercado externo. A maior parte do grão é exportada para Holanda, Japão, Bélgica, Estados Unidos e Canadá. Tomio Fukuda contou à Expedição que o consumo tem crescido também no mercado interno, pois o brasileiro valoriza cada vez mais um café fino.*

cerrado mineiro

PRODUTO ▪ QUEIJO CANASTRA ▪ TERROIR

Ao pé da serra da Canastra, pastam nas colinas as vacas que fornecem o leite para o queijo. A tecnologia, o clima, a vegetação e a tradição de quatro gerações contribuem para consolidar a qualidade superior e a exclusividade desse queijo artesanal feito de leite cru. "O Canastra é vaca no pasto, é terreno montanhoso e água de qualidade", diz o produtor e agrônomo João Carlos Leite. Essas características dão-lhe um sabor único: forte, meio picante, denso e encorpado. É elaborado em fazendas dos municípios de São Roque de Minas, Vargem Bonita, Medeiros, Bambuí e Piumhi.

PRODUTOR

Fazenda Agroserra [São Roque de Minas]

Situada a 1.300 metros de altitude, a Agroserra pertence a João Carlos Leite, presidente da Associação dos Produtores de Queijo. Além de primar por todas as etapas, João Carlos, apaixonado por queijos, é o criador do Canastra Real (ou Canastrão), de casca amarela e sabor adocicado que pesa cerca de 7 quilos e precisa de 20 a 30 dias para maturar. A elaboração do produto está a cargo dos queijeiros Ronilda Aparecida da Silva Farias e José Filho de Farias.

PRODUTOR

Fazenda do Zé Mario [São Roque de Minas]

Numa pequena propriedade de 50 hectares, com 15 vaquinhas, mora o casal José Baltazar Silva, seu Zé Mario, e dona Waldete, que são os responsáveis pelo Canastrinha, de cerca de meio quilo. Dona Waldete é quem faz os queijos. Ela contou que adora ficar na casinha, a queijaria, e tem ciúme do lugar. Personagens do filme O mineiro e o queijo*, eles já ganharam vários troféus, incluindo o primeiro lugar no Concurso Estadual de Queijo Minas Artesanal, em 2011. Possuem certificação e vendem há dois anos, inclusive no Mercado Central de Belo Horizonte. A equipe da Expedição provou o queijo. Uma delícia!*

Sereno da serra

[Chef Beth Beltrão, do restaurante Viradas do Largo – Tiradentes, MG]

para petiscar

ingredientes

400 g de mandioca amarela cozida e cortada em cubos

400 g de carne serenada

3 colheres (sopa) de manteiga de garrafa de boa qualidade (40 g)

MODO DE PREPARO

1. Frite a mandioca até o ponto de crocante. **2.** Lave ligeiramente a carne e escorra. **3.** Em uma frigideira ou uma chapa, ponha a manteiga e sele a carne mexendo sempre. **Finalização 1.** Sirva num sousplat ou numa frigideirinha de ferro, colocando a carne de um lado e a mandioca de outro.

Degustação de doces mineiros

[Chef Frederico Trindade, do restaurante Trindade – Belo Horizonte, MG]

Rendimento: 1 porção

ingredientes

3 fatias de queijo Serra da Canastra

2 colheres (sopa) de doce de leite Viçosa

4 minifigos orgânicos em calda

3 pedaços de goiabada cascão em barra Dona Zélia

MODO DE PREPARO

1. Em um prato quadrado, coloque 3 pedaços de queijo Serra da Canastra em forma de triângulo, o doce de leite, os minifigos orgânicos e 3 pedaços de goiabada cascão em barra em forma de triângulo.

zona da mata

Seguindo essa aventura pelo interior de Minas, a Expedição partiu para a Zona da Mata, localizada entre o Rio de Janeiro e o Espírito Santo. A Mata Atlântica era originalmente a vegetação dominante por lá. Com o tempo foi devastada e hoje ficou restrita a algumas áreas de relevo acidentado, caracterizado pela floresta tropical, que tem entre as espécies pau-brasil, jacarandá, palmito, jequitibá e ipê, e por colinas, vales estreitos e algumas serras, como a de Caparaó, na divisa com o Espírito Santo.

No século XVIII, a cidade de Tiradentes — Patrimônio Nacional —, nas encostas da Serra de São José, se destacou com a produção aurífera. O nome homenageia o inconfidente Joaquim José da Silva Xavier. Em Tiradentes tudo respira história: as ruas de pedra, as paredes das igrejas, os casarios e o povo simpático. Muitos visitantes se encantam com o artesanato de pedra-sabão, madeira e tecidos. Um programa que vale a pena é o passeio de maria-fumaça, que vai até São João del-Rei.

Mas o ponto alto é a gastronomia. Instalado num casarão, o restaurante Virada's do Largo, da chef Beth Beltrão, não abre mão do fogão a lenha, tem uma horta com mandioca, couve, feijões e pimentas, usados na elaboração dos pratos. Uma das receitas mais concorridas é o frango com angu e ora-pro-nóbis, retirado do quintal. Os famosos doceiros locais fazem canudo de doce de leite, ambrosia, pé de moleque, entre tantas outras delícias.

Em agosto, a tranquila cidade fervilha com o Festival de Cultura e Gastronomia de Tiradentes, que atrai gente do Brasil e do exterior. Na programação, constam aulas de culinária, jantares especiais com chefs renomados e ótima cozinha regional.

Bem próximo fica Ponte Nova, conhecida pelas receitas de goiabada cascão, de cor intensa, que passam de mãe para filha. Hoje a cidade é considerada também um dos centros mais importantes de criação de suínos com técnicas modernas.

Chafariz de São José, em Tiradentes, que leva a particularidade de a fachada ser semelhante a uma igreja

São José Fountain, in Tiradentes, which has a particular facade resembling that of a church

Doces Christy
Goiabada
Peso Líquido
100% natural
Indústria Brasileira
Lote e data de validade: vide informações no verso.
Doces Christy
Goiabada
Doces Christy
Goiabada
Doces Christy
Goiabada
Peso Líquido

PRODUTO ▪ GOIABADA ▪ TERROIR

A tradição remonta às primeiras décadas do século XX: as antigas doceiras de Ponte Nova tinham por hábito fazer goiabada para o consumo da família, vendendo o excedente. Assim, a localidade passou a ser conhecida como "cidade da goiaba". O clima, com poucas chuvas, é bom para o cultivo da fruta, pois influencia diretamente o teor de açúcar (uma boa goiaba tem de 6 a 8 graus de doçura). "Mas, em virtude do solo, clima, adubação e irrigação, a goiaba de Ponte Nova chega à excelência: 9 graus", diz Christiana Mares Guia, da Doces da Christy. Destaca-se a variedade paluma, cujos frutos são mais polpudos.

PRODUTOR

Doces da Christy [Ponte Nova]

A história da empreendedora Christiana Mares Guia é bem romântica. Desde criança ela nutria uma paixão por Fernando e, adulta, realizou seu sonho: casou-se com ele e foi morar em Ponte Nova. Foi aí que ela aprendeu a fazer a goiabada com sua sogra, dona Maria da Conceição, nos anos 1990. Produziam em pequena escala e não conseguiam atender à demanda. Christy alavancou o negócio quando descobriu que poderia colher goiaba o ano todo, irrigando constantemente e fazendo várias podas. Hoje ela tem cerca de 1.500 goiabeiras e chega a produzir 2 mil quilos por mês. Vende também para delicatéssens de São Paulo, Brasília, Porto Alegre e Salvador.

zona da mata

PRODUTO ▪ SUÍNOS ▪ TERROIR

Em meio à geografia montanhosa do Vale do Piranga, microrregião que inclui a cidade de Ponte Nova, existia a tradição secular de criar porcos no fundo da propriedade rural. Esse panorama começou a se tornar profissional entre os anos 1970 e 1980, com a implantação de granjas de suinocultura, com novas instalações e técnicas de nutrição, manejo e produção genética. Hoje a região é modelo nacional de criação de suínos com tecnologia moderna, responsabilidade social e segurança alimentar.

PRODUTOR

Granja São Francisco [Oratórios, Ponte Nova]

Fernando Gomes Martins, proprietário e administrador da Granja São Francisco, afirma que há uma diferença fundamental entre a criação de porcos e a de suínos. Na primeira, existe a imagem estigmatizada do chiqueiro e, na segunda, um processo mecanizado em que se trabalha o melhoramento genético, alimentação balanceada com milho, soja, minerais e aminoácidos. "Toda a ração é produzida aqui", comenta Fernando. O resultado é maior qualidade, com 55% de carne magra. O cruzamento se dá por inseminação artificial, com gestação de 114 dias e desmame com 21. Os leitõezinhos seguem para o abate ao completarem 150 dias, pesando em torno de 107 quilos. Outro diferencial é a preocupação com o meio ambiente: a granja possui um biodigestor que transforma os gases dos dejetos dos animais em crédito de carbono, produzindo a energia necessária à propriedade.

zona da mata

Panturrilha à juquinha da serra

[Chef Ivo Faria, do restaurante Vecchio Sogno – Belo Horizonte, MG]

Rendimento: 10 porções

ingredientes

PANTURRILHA

100 g de cenoura
100 g de aipo
100 g de cebola
2 colheres (sopa) de alho picado (30 g)
10 panturrilhas de porco
Sal e pimenta-do-reino a gosto
Louro a gosto
Tomilho a gosto
400 ml de vinho branco
5 colheres (sopa) de colorau (30 g)
150 g de tomate concassé
3 litros de caldo de carne

GUARNIÇÃO

2 colheres (sopa) de alho (40 g)
40 g de cebola
40 g de manteiga
500 ml de caldo de carne
150 g de fubá instantâneo
50 g de queijo parmesão ralado
200 g de queijo minas em cubos
350 g de feijão fradinho
1 folha de louro
1 galho de alecrim
40 ml de azeite de oliva
Salsinha picada a gosto
Ciboulette picadinha a gosto
1 maço de ora-pro-nóbis
Sal a gosto

MODO DE PREPARO

Panturrilha 1. Corte os vegetais aromáticos em cubinhos. **2.** Tempere as panturrilhas com sal, pimenta e as ervas. **3.** Marine com 300 ml de vinho branco e os vegetais de um dia para o outro. **4.** Em uma panela, sele as panturrilhas. **5.** Coe a marinada, acrescente os vegetais e doure-os junto com as panturrilhas. **6.** Junte o colorau e o tomate. **7.** Deglace com o vinho restante e deixe cozinhar lentamente, adicionando o caldo de carne aos poucos. **8.** Finalize o cozimento no forno, regando constantemente, e até que a a carne fique corada e bem glaçada. **Guarnição 1.** Refogue metade do alho, 1 colher (sopa) de cebola em 2 colheres (sopa) de manteiga e molhe com o caldo de carne. **2.** Deixe ferver e acrescente, pouco a pouco, o fubá instantâneo, batendo sempre. Deixe cozinhar. **3.** Retifique o tempero. **4.** Retire do fogo e acrescente mais 2 colheres de colheres de manteiga e os queijos. **5.** Cozinhe o feijão com o louro, o alecrim, ½ colher (sopa) de cebola e uma pitada de sal. **6.** Depois de cozido, refogue o feijão em azeite com 1/2 colher (sopa) de alho e o restante da cebola, junte um pouco de caldo da panturrilha e verifique o tempero. Finalize com a ciboulette e a salsa. **7.** Refogue o ora-pro-nóbis em azeite com a sobra do alho e tempere. **Finalização 1.** Disponha uma panturrilha no centro do prato, a polenta ao lado, o ora-pro-nóbis em volta e o feijão solto ao lado. **2.** Dê um toque com o molho.

zona da mata

Peito de pato, glace de goiabada e farofinha de castanha-do-brasil

[Chef Paula Cardoso – Belo Horizonte, MG]

Rendimento: 10 porções

ingredientes

100 g de goiabada cascão
1 xícara de molho rôti (200 ml)
300 g de peito de pato
Sal e pimenta-do-reino a gosto
1 dente de alho picado
1/2 xícara de manteiga (100 g)
2 xícaras de farinha Panko (200 g)
2 xícaras de castanha-do-brasil ralada (200 g)
1 goiaba

MODO DE PREPARO

1. Dissolva a goiabada no molho rôti e reserve. **2.** Faça pequenos cortes na pele do peito do pato em formato de quadrados bem pequenos e tempere com sal e pimenta-do-reino. **3.** Em uma frigideira bem quente, sele o peito de pato do lado da pele. Quando estiver dourada, sele o lado da carne. **4.** Leve ao forno (180 °C) por aproximadamente 8 minutos. **5.** Retire o peito de pato do forno e, com um pincel, espalhe a glace de goiabada em cima do peito de pato. Leve ao forno por mais 2 minutos, corte o peito de pato em fatias finas e regue com a glace de goiabada. **6.** Para a farofinha, salteie, em uma frigideira, o alho na manteiga, junte a farinha Panko e a castanha-do-brasil ralada. Tempere com sal e pimenta-do-reino. **7.** Corte a goiaba em quatro e sele com manteiga até dourar.

região metropolitana e capital

Chegando à capital mineira, a Expedição pôde sentir o grande legado deixado por Oscar Niemeyer. Belo Horizonte foi planejada e construída para ser um marco da arquitetura moderna. A convite de Juscelino Kubitschek, natural de Diamantina e então prefeito da capital, nos anos 1940, Niemeyer criou o Conjunto Arquitetônico da Pampulha, às margens da lagoa, obra cheia de curvas e leveza.

O avanço dessa metrópole, carinhosamente chamada BH, contrasta com o ar interiorano das cidades históricas coloniais, como as belas Ouro Preto, Sabará, Congonhas e Tiradentes.

"Botecar" é o lema do povo belo-horizontino. Não à toa, há alguns anos nasceu o festival Comida di Buteco, uma competição acirrada, com a participação do público, entre os tira-gostos mais apetitosos. Curtir a noite é muito agradável, o que inclui restaurantes como o Vecchio Sogno, do conceituado chef Ivo Faria, e o Trindade, de Frederico Trindade.

Todos os chefs, como Rafael Cardoso, que já estagiou em restaurantes espanhóis, se orgulham e usam os excelentes ingredientes locais, como o porco e os queijos, encontrados nos mercados Distrital do Cruzeiro e Central.

A 50 km da capital, encravadas nas montanhas, estão Itabirito e Amarantina, onde ainda existem antigos moinhos d'água que fazem um fubá com textura especial, matéria-prima do famoso pastel de angu, Patrimônio Cultural de Itabirito, onde, em junho, há a Festa do Pastel de Angu. Outro tesouro dessa agradável cidade é a Mercearia Paraopeba, que preserva a solidariedade na cadeia produtiva entre produtor, comerciante e consumidor.

É nela que seu Chico Peixoto, do distrito vizinho de São Gonçalo do Monte, vende seu queijinho fresco e garante seu sustento.

Praça Israel Pinheiro, conhecida como Praça do Papa, bairro das Mangabeiras, Belo Horizonte

Israel Pinheiro Square, known as the Pope's Square, Mangabeiras District, Belo Horizonte

PRODUTO ▪ FUBÁ DE MOINHO ▪ TERROIR

Nas pequenas cidades de Minas Gerais, como Amarantina e Itabirito, ainda se preserva a tradição dos moinhos d'água para fazer o fubá. As nascentes de água límpida e os muitos córregos propiciam a permanência desse hábito antigo. O produto industrializado não se compara à boa consistência e textura do feito artesanalmente, em que o milho é quebrado entre as pedras. "O típico pastel de angu da região não dá liga se for feito com fubá de pacote", diz Roney Antônio de Almeida, o Roninho, proprietário da Mercearia Paraopeba. "Mesmo o angu mineiro tem gosto todo especial se feito com o fubá de moinho d'água", completa.

PRODUTOR

Moinho d'água da dona Virgínia [Amarantina]

Com mais de 200 anos de atividade, o moinho d'água do sítio da dona Virgínia, em Amarantina, é um remanescente. Aos 87 anos, a proprietária conta que sempre produziu fubá, vendendo nas redondezas. Um de seus clientes é a Mercearia Paraopeba. Como em muitos lugarejos mineiros, todo trabalho de dona Virgínia é feito segundo a intuição e a sabedoria adquirida através de gerações. Assim, ela sabe se o equipamento precisa de regulagem por causa do barulho que emite em funcionamento. Até hoje ela peneira o milho para remover as impurezas antes de ele entrar no moinho. Esse ambiente natural se completa com muitas galinhas ciscando, uma horta e um pomar com pés de laranja e mexerica.

PRODUTO ▪ QUEIJO FRESCAL ▪ TERROIR

Poucos lugares em Minas Gerais ainda mantêm o pasto natural, com o capim meloso, uma raridade que, para os produtores, é um diferencial que tem influência direta no sabor do queijo, como o frescal do Sítio Vargem Velha, de São Gonçalo do Monte. Outros fatores de qualidade são o clima seco e a temperatura mais amena. É a demanda que faz seu Francisco Peixoto Neto, seu Chico, produzir o queijo fresco: muitos mineiros gostam dele para comê-lo com goiabada no café da manhã.

PRODUTOR

Sítio Vargem Velha [São Gonçalo do Monte, distrito de Itabirito]

Ao chegar ao Sítio Vargem Velha, a primeira imagem verificada pela equipe da Expedição foi a de vacas e alguns bezerros soltos no pasto natural, tratados com muito carinho por seu Francisco Peixoto Neto e dona Maria de Lourdes Peixoto. Dos animais é que vem o sustento do casal. Com o leite tirado todos os dias, se fazem 18 queijos, utilizando-se o coalho como fermento. "Em vez de colocar no jirau para curar, a gente põe o queijo frescal, feito de leite cru, no freezer", explica seu Chico. Hospitaleiro, o casal faz questão de oferecer aos visitantes o seu queijo fresco, café e uma boa prosa.

FOR EXPORT
Minas
600 ml
DO
RRO
VILA RICA
OURO PRETO

MERCEARIA

Mercearia Paraopeba [Itabirito]

A Mercearia Paraopeba é uma venda daquelas de antigamente. Nela o comércio ainda funciona na base do fiado e da troca, fornecendo o açúcar para seu Vicente fazer a goiabada cascão e o dinheiro para dona Virgínia plantar o milho e pagar com o fubá de moinho d'água. Roney Antônio de Almeida, o Roninho, sucessor de José Augusto, o pai, nos negócios e na filosofia, tem um conceito muito autêntico ligado ao resgate da identidade regional. Seu princípio é incentivar o produtor, como seu Chico Peixoto, que faz o queijo frescal. As centenas de itens da loja são feitas nas redondezas. "A maioria dos pequenos fornecedores não tem onde escoar sua mercadoria, e nós incentivamos essa produção artesanal para que ela não acabe", comenta Roninho para a equipe da Expedição.
"Se não tiver ninguém para comprar, vai ficar inviável para essas pessoas produzirem, e a tradição vai se perder." A mercearia funciona também como ponto de encontro entre produtores e consumidores fiéis. Depois de aparecer muito bem na fita produzida por Rusty Marcellini, a Paraopeba ganhou clientes famosos, como a chef Roberta Sudbrack, que recebe periodicamente vários itens.

MERCADOS

Mercado Distrital do Cruzeiro

Localizado no bairro Cruzeiro, o mercado nasceu em 1974 com o objetivo de ser um espaço mais seguro para os feirantes que montavam suas barracas nas ruas. Dispor de um boxe no local se tornou superconcorrido. Lá se encontram hortifrutigranjeiros, carnes, bebidas, temperos, utilidades domésticas, além de feira de artesanato e restaurantes. Virou ponto de encontro, frequentado por chefs de cozinha que elogiam a qualidade dos produtos. Como a criativa Paula Cardoso, que gosta de comprar os tomates italianos sem agrotóxico da dona Guiomar, do boxe 12. O Nossa Senhora Mont Serrat, de proprietários japoneses, foi pioneiro na venda de ingredientes orientais. Outro destaque é a loja de carnes A Churrasqueira, de Wayne Stochiero. "Cerca de 2 mil pessoas visitam o mercado por dia, e esse número pode aumentar, pois o lugar está em expansão", diz o comerciante.

Mercado Central

Para quem deseja conhecer um bocadinho da cultura e da gastronomia mineira, uma boa pedida é ir ao Mercado Central de Belo Horizonte, inaugurado em 1929. Num grande espaço com mais de 400 lojas, encontram-se artesanato, ervas medicinais, ingredientes e culinária de várias regiões de Minas Gerais. Não faltam degustação de famosos tira-gostos, ótimas cachaças e cerveja gelada. O mercado acabou se tornando ponto turístico, com restaurantes, bares e shows, passagem obrigatória para quem visita a capital e quer viver momentos agradáveis do jeitinho mineiro, com bom papo e comida deliciosa.

Tomates orgânicos do Mercado Distrital do Cruzeiro, um ponto gastronômico da capital mineira

Organic tomatoes from Mercado Distrital do Cruzeiro, a gastronomic point in the capital of Minas Gerais

região metropolitana e capital

Gnocchi romano de fubá de moinho d'água com tentáculos de polvo

[Chef Rafael Cardoso – Belo Horizonte, MG]

Rendimento: 1 porção

ingredientes

- 1 1/4 xícara de leite integral (250 ml)
- 1 xícara de fubá de moinho d´água (100 g)
- 2 colheres (sopa) de manteiga sem sal (25 g)
- 1/4 de xícara de queijo parmesão ralado (30 g)
- Sal e pimenta-do-reino a gosto
- 2 tentáculos grandes de polvo
- Azeite extravirgem
- 4 tomates-uva (60 g)
- 1/2 xícara de azeitonas portuguesas (30 g)
- 3 colheres (sopa) de molho de tomate
- Ervas frescas para decoração

MODO DE PREPARO

1. Leve o leite à fervura e despeje o fubá muito lentamente pelos vãos dos dedos, mexendo sempre com um fouet. **2.** Cozinhe por 30 minutos, mexendo para não grudar. **3.** Adicione a manteiga e o queijo, e mexa até emulsionar completamente. Ajuste o sal, se necessário. **4.** Espalhe em uma assadeira, de forma uniforme, cuidando para que fique com cerca de 1,5 cm de altura. Deixe esfriar e leve para a geladeira por 2 horas, no mínimo. **5.** Depois de frio, corte 2 gnocchi com um aro de 5 cm e doure-os de ambos os lados em 2 colheres (sopa) de azeite. **6.** Doure bem os tentáculos de polvo em azeite, corrigindo o sal e a pimenta. **7.** Em uma frigideira à parte, refogue os tomates e azeitonas em azeite. Depois junte o molho de tomate. **Finalização 1.** Sirva os tentáculos sobre dois gnocchi dourados. Guarneça com os tomates, azeite e ervas frescas.

O ESTADO DO Rio de Janeiro

2

O **Corcovado** e as praias cariocas são hoje **símbolo internacional**, mas há muito mais para apreciar no estado do Rio de Janeiro, que é contemplado com um relevo diverso e **exuberante**, além de muita história ligada à **época imperial**. A cidade do Rio de Janeiro teve grande relevância política. Foi sede da coroa portuguesa desde a transferência de **D. João VI** para o Brasil, em 1808. Manteve-se como **capital federal** até 1960, ano da inauguração de Brasília.

Os **tempos áureos** da monarquia podem ser percebidos quando se sobe a serra em direção a **Petrópolis**, onde a Corte passava as férias e sentia o clima europeu. As temperaturas amenas de cidades como **Teresópolis** e **Nova Friburgo** são perfeitas para a produção de hortifrútis (vários com cultivo orgânico) e queijos como o de cabra. A Expedição Gastronômica conferiu *in loco* a grande **diversidade de relevo** e clima que proporciona **ingredientes especiais**.

Muitos turistas são atraídos para **Agulhas Negras** por causa do santuário ecológico e das possibilidades de aventura no **Parque Nacional de Itatiaia**. Outros são

seduzidos pela tranquilidade e pela **boa comida** de lugares como a encantadora vila de **Visconde de Mauá**, onde a criação de trutas encontrou condições ideais.

Nas terras do **Vale do Paraíba sul-fluminense** se desenvolveram as primeiras mudas de **café**, em cidades como **Piraí**. A antiga economia cafeeira é preservada com requinte: muitas propriedades rurais mantiveram a **arquitetura original**, viraram **pousadas** e recebem os hóspedes, com **cafés e jantares** desse período. Hoje produtos como a **macadâmia** fazem parte da economia do lugar. Outra região que viu seus **momentos de glória** no século XVIII foi o **Vale do Açúcar**, que tem esse nome por causa das plantações de cana. As cidades locais, como **Quissamã**, se destacam na **produção de doces** e fazem sucesso com as **cachaças gourmet** de alambique.

Todas essas **joias fluminenses**, encontradas nos **mercados**, mostram a **variedade gastronômica** do Rio de Janeiro, estado privilegiado pela hospitalidade de seu povo e, ao mesmo tempo, pela **riqueza da vegetação** e do litoral.

região serrana

A primeira parada da Expedição foi a Região Serrana, privilegiada pela paisagem da Mata Atlântica, com belas montanhas, trilhas e cachoeiras. Durante o ano, as temperaturas variam de 8 °C a 25 °C, o que propicia um clima ameno, excelente para quem gosta de curtir um friozinho. O charme local se completa com o nevoeiro que cobre as serras e intensifica essa atmosfera invernal.

A família real portuguesa encantou-se com esse cenário, principalmente D. Pedro II, que no século XIX mandou construir o Palácio Imperial em Petrópolis, como um lugar de veraneio. Ao longo do tempo, o requinte da nobreza se estendeu por toda a "cidade de Pedro". Hoje há pousadas, hotéis e restaurantes de luxo, comandados por chefs renomados que preparam seus pratos com os selecionados ingredientes locais. O polo gastronômico de Itaipava, distrito de Petrópolis, que abriga o Hortomercado e a produção de orgânicos, demonstra a vocação da região para hortaliças e legumes.

A estrada RJ-130, carinhosamente conhecida como Terê-Fri, tem 68 km de extensão, numa área que preserva a mata nativa. Nesse percurso há vários produtores, principalmente de folhosas sem agrotóxicos e bons queijos de cabra. Para incentivar o turismo rural foi criado o Circuito Turístico da Ponte Branca, com visita às fazendas, degustações e passeios ecológicos.

Essa rota bucólica liga Teresópolis a Nova Friburgo. Um dos destaques da cidade batizada em homenagem à imperatriz Teresa Cristina, esposa de D. Pedro II, é o Parque da Serra dos Órgãos, lugar perfeito para os amantes do trekking. Nova Friburgo — a "Suíça brasileira" — leva esse nome por ter abrigado, em 1818, a primeira colônia de suíços, vindos do cantão de Fribourg. Nessa atmosfera, pode-se apreciar uma gostosa fondue com um bom vinho e desfrutar o ar puro das serras.

Fazenda que produz hortaliças e legumes orgânicos, na Região Serrana do Rio de Janeiro

Farm that produces organic vegetables and legumes, in the Serrana Region of Rio de Janeiro

PRODUTO ▪ ORGÂNICOS ▪ TERROIR

Folhosas ▪ O clima temperado, seco e de altitude da Região Serrana — situada entre 700 e 800 metros de altitude — favorece a produção de hortaliças folhosas, dentre as quais se destacam as variedades de alface (americana, lisa, romana, crespa roxa, crespa verde e mimosa) e a rúcula. As condições climáticas, aliadas ao solo fértil, aerado, composto por boa matéria orgânica e bem estruturado fisicamente, mostram o potencial produtivo da localidade.

PRODUTOR

Sítio Cultivar [Nova Friburgo]

Localizado numa área de mata nativa, o Sítio Cultivar está a 12 km do centro de Nova Friburgo. A entrada já mostra o cuidado dos proprietários: um lindo caminho de girassóis leva até a residência. Em 1992 Jovelina, a dona Jô, ex-funcionária do IBGE, e Luís Paulo Ribeiro, químico, iniciaram as atividades com a agricultura orgânica.
Começaram com tomates e cenouras e hoje produzem mais de 40 variedades, entre beterraba, alface, brócolis e salsa. Seus clientes são os principais supermercados de Nova Friburgo e a feira de Ipanema, às terças-feiras, na capital fluminense.
O sítio faz parte do Circuito Turístico da Ponte Branca, e o casal desenvolve ainda o projeto Cuidando do Planeta Terra, composto por passeios ecológicos e pedagógicos para crianças e jovens.

PRODUTOR ▪ ORGÂNICOS

Sítio Moinho [Itaipava, Petrópolis]

Desde 1989 o Sítio Moinho cultiva hortaliças e legumes orgânicos num vale cercado pela Mata Atlântica, a 750 metros acima do nível do mar. As hortas são irrigadas com água pura, extraída de uma nascente a 103 metros de profundidade.

Para o plantio de mudas e o cultivo de hortaliças mais delicadas são utilizadas estufas, que protegem contra as chuvas fortes e o calor do verão. Há também plantio em túneis, com irrigação por gotejamento e aplicação de composto (adubo orgânico).

"Um dos destaques, que agrada o mercado de restaurantes, é a minirrúcula, de folhas mais tenras e crocantes que a comum", diz o engenheiro agrônomo Eduardo da Costa Guimarães. Para ficar pronta para o consumo, ela passa por três processos de lavagem.

O sítio, que trabalha também com ervas e pães orgânicos, abastece supermercados do Rio e faz entrega em domicílio, em Petrópolis e na zona sul da capital.

PRODUTO ▪ QUEIJO DE CABRA ▪ TERROIR

Queijo de cabra, o terroir ▪ As raças de cabras leiteiras saanen e parda alpina, típicas dos Alpes europeus, desenvolveram-se bem na Região Serrana por causa do clima de altitude e ameno — as temperaturas de até 25 °C propiciam um queijo de melhor qualidade.

PRODUTOR

Fazenda Genève [Estrada Teresópolis-Friburgo]

Antes de ingressarem no mercado de criação de cabras, Reinaldo Pires, formado em zootecnia rural, e a esposa, Rose Pires, veterinária, estagiaram numa fazenda de queijos na França. Em 1995, construíram o Capril Fazenda Genève, importando sêmen da Europa e dos Estados Unidos e utilizando inseminação artificial em 10% do rebanho para melhora genética e aumento da produção leiteira.

O rebanho é formado por 70% de raça saanen e 30% de parda alpina. Na produção mensal — cerca de duas toneladas de queijo de cabra — usa-se maquinário francês, como as câmaras frigoríficas de maturação. Nos moldes europeus, fabricam-se os tipos charolais, crottin, pyramide, chevrotin, boursin, brique, sainte-maure e frescal.

A fazenda dispõe de restaurante e loja abertos aos visitantes e distribui para mercados do estado do Rio de Janeiro. Chefs renomados, como Claude Troisgros, do Olympe, e Roland Villard, do Le Pré Catelan, recomendam seus queijos.

PRODUTO ▪ CERVEJA

A cerveja mais antiga

Em Petrópolis está localizada a primeira fábrica de cerveja do Brasil, a Bohemia, inaugurada em 1853 pelo alemão Henrique Kremer. A bebida era produzida com as características de sua terra natal, mais amarga. Eram 6 mil garrafas distribuídas pela região em charretes e carrinhos de mão. De lá para cá, a cerveja do tipo pilsen foi se abrasileirando, ficando mais leve.

Recentemente, a antiga fábrica foi transformada no interativo Museu da Cerveja. Nele se desfruta de mais de 20 ambientes, em que consta a história da bebida, desde a Mesopotâmia e o Egito antigo até os dias atuais. Há uma sala dedicada a homenagear o mestre cervejeiro, com os utensílios usados por este no decorrer do tempo, incluindo os ingredientes que compõem essa bebida tão apreciada pelos brasileiros. Outro espaço mostra as etapas de produção de forma lúdica. De quebra, as pessoas ainda podem degustar, além das conhecidas loiras geladas, as morenas, mais escuras e encorpadas, na temperatura adequada.

Cervejaria
BOHEMIA
BOHEMIA
BOHEMIA
m -Vindos

Cervejaria
BOHEMIA

Reca
Palmito
Reca
Palmito
Kg. 3,00

MERCADO

Hortomercado Municipal de Itaipava

Inaugurado em 1989, o Hortomercado é um paraíso para quem procura produtos frescos e orgânicos, cultivados na zona rural de Itaipava, distrito de Petrópolis, que abriga o polo gastronômico Vale dos Gourmets. São dezenas de restaurantes, com variados tipos de comida, como o charmoso Barão Gastronomia, do chef Alessandro Vieira. Tudo é cuidadosamente arrumado no Hortomercado, com belo colorido e limpeza impecável. Os quase 40 boxes — de produtores bem organizados em nove associações — apresentam os produtos hortifrutigranjeiros da região e, ainda, peixes, queijos e flores. Destacam-se duas barracas: a de legumes e folhas, com produção própria, da dona Valéria, e a do seu João Luís da Silva, que vende truta e tilápia. Em matéria de variedade e qualidade, o boxe das Mudas Katsumoto tem os mais diferentes exemplares de plantas: ervas aromáticas e ornamentais, mostarda, tomate holandês, chuchu branco, flores comestíveis como capuchos e brotos de girassol. Um produto curioso é o pé-de-ovo, cujo sabor lembra o jiló, e a aparência, um ovo caipira.

região serrana

Presunto de pato defumado com tangerina e minilegumes orgânicos ao molho de taioba

[Chef Barão, do restaurante Barão Gastronomia, Itaipava – Petrópolis, RJ]

Rendimento: 1 porção

ingredientes

PRESUNTO DE PATO DEFUMADO

1 peito de pato de 200 g
Pimenta-do-reino moída a gosto
Raspas de 1/2 tangerina
1 xícara de sal grosso (100 g)
Folhas e galhos de tangerina

MOLHO DE TANGERINA

1/3 de xícara de açúcar (50 g)
100 ml de água
50 ml de suco de tangerina
30 ml de aceto balsâmico
1 colher (sopa) de manteiga (10 g)

ACOMPANHAMENTO

1 minirrabanete
1 minicenoura
1 minibeterraba
1 miniabobrinha
1 mininabo negro
1 minicouve-de-bruxelas
1 minichuchu
1 porção de brotos de alfafa
1 porção de brotos de girassol

MOLHO DE TAIOBA

1 folha de taioba fresca e sem o talo
500 ml de água
Sal e pimenta-do-reino a gosto
1 colher (café) de cebola picada
3 colheres (sopa) de azeite de oliva
1/2 xícara de creme de leite (70 ml)

Atenção: você vai precisar de 1 rolo de atadura de gaze de 10 cm x 1,80 m e barbante para envolver o peito de pato.

MODO DE PREPARO

Presunto de pato defumado 1. Tempere o peito de pato com pimenta e as raspas de tangerina. **2.** Em um prato redondo, coloque a metade do sal grosso, em seguida o peito do pato temperado com a gordura virada para baixo e cubra com o restante do sal. **3.** Proteja o prato com papel-filme e leve à geladeira por 48 horas. **4.** Lave o peito de pato em água corrente e seque bem com papel-toalha. Envolva com a gaze, apertando bem, amarre com barbante e pendure em um lugar fresco (cerca de 19 °C) por 50 dias. **5.** Após esse período, desembrulhe o peito de pato e leve-o ao defumador com as folhas e galhos de tangerina por aproximadamente 20 minutos. **6.** Deixe esfriar e leve à geladeira. **Molho de Tangerina 1.** Em uma panela, coloque o açúcar e a água, leve ao fogo e deixe dourar. **2.** Acrescente o suco de tangerina e o aceto balsâmico e reduza. **3.** Por fim, coloque a manteiga para dar brilho ao molho. Reserve. **Acompanhamento** Cozinhe os minilegumes e os brotos no vapor. **Molho de taioba 1.** Rasgue a folha de taioba grosseiramente e deixe de molho na água com sal por 20 minutos. Em seguida, escorra a água e reserve. **2.** Em uma panela, coloque água e leve ao fogo até ferver; acrescente a taioba e deixe por 1 minuto. Escorra a água e reserve. **3.** Refogue a cebola com o azeite até dourar, acrescente a taioba e em seguida o creme de leite, o sal e a pimenta-do-reino. **4.** Cozinhe por 5 minutos. Em seguida, bata no liquidificador e retorne o molho à panela. Pingue água filtrada até dar o ponto desejado. **Nota:** Depois de pronto o presunto, o tempo de preparo é de aproximadamente 45 minutos.

vale do café

Foi no Vale do Paraíba sul-fluminense, entre as serras da Mantiqueira e das Araras, que em meados do século XIX começou e prosperou o plantio de café, que se tornou o principal produto de exportação do país. Por isso a região é conhecida também como Vale do Café.

Apesar de hoje já não se produzir o grão, o legado do tempo dos barões pode ser rememorado em visitação a inúmeras fazendas históricas, que oferecem hospedagem, banquetes e saraus, com ambientação da época.

Atualmente, as atividades agrícolas estão diversificadas. Entre os principais produtos cultivados está a macadâmia, no município de Piraí, uma alternativa encontrada nos anos 1980 para substituir o café. Trata-se de produção de grande qualidade, que foi comprovada com a visita da equipe da Expedição Gastronômica.

Piraí, palavra de origem indígena, significa "rio dos peixes", o que explica a outra atividade de destaque da cidade: a criação de tilápia. Em outubro, para divulgar esses dois ingredientes locais, é realizado o Festival de Cultura e Gastronomia, em que os turistas podem provar os pratos dessas especialidades desenvolvidos pelos restaurantes, além de participar de aulas de culinária e acompanhar o concurso gastronômico, cujo júri é composto por chefs do estado e de todo o Brasil.

PRODUTO ▪ MACADÂMIA ▪ TERROIR

Macadâmia ▪ Muito apreciada como tira-gosto e na confecção de sobremesas e pratos especiais, a macadâmia, que equilibra teor de açúcar e óleos naturais, é originária da Austrália. Por isso o plantio se deu muito bem em terras piraienses, pois a latitude e a altitude são as mesmas do país de que é nativa. A água e o solo profundo de Piraí também são responsáveis pela sua boa qualidade. No Brasil, o consumo de macadâmia tem aumentado por colaborar na redução dos níveis de colesterol e das doenças cardiovasculares.

PRODUTOR

Fazenda Tribeca Santa Marta

A fazenda, constituída em 1982, fez a primeira exportação bem-sucedida de noz-macadâmia em Piraí, fruto do dedicado trabalho dos proprietários Luís Carlos Tavares e Marcos Reis. A empresa produz mudas de alta qualidade em viveiros e cuida do manejo, colheita, processamento, embalagem, comercialização e distribuição, além de oferecer assistência técnica aos produtores parceiros. A propriedade situa-se numa bela paisagem com vista para o vale. É surpreendente contemplar o cultivo de 100 mil plantas, colhidas manualmente por mulheres, que limpam as folhas para visualizar os frutos. Elas separam superfície orgânica, folhas e cascas, que viram adubo. O plantio é autossustentável, pois a planta não mata a matéria orgânica do solo. A secagem tem de ser lenta, com temperatura controlada, para atingir a umidade de 1,5%. A Tribeca exporta para países da Europa, Estados Unidos e Japão.

vale do café

Esfera de macadâmia

[Chef Felipe Bronze, do restaurante Oro – Rio de Janeiro, RJ]

Rendimento: 12 porções

ingredientes

200 g de macadâmia
1 colher (chá) de alho (5 g)
200 ml de gelo feito com água filtrada
2/3 de xícara de azeite extravirgem (120 ml)
1 colher (sopa) de vinagre de maçã (20 ml)
2 colheres (sopa) de suco de limão (20 ml)
Sal e pimenta-do-reino
1 colher (sopa) de alginato de sódio (9 g)
1 colher (sopa) rasa de gluconato de cálcio (7 g)
1,5 litro de água mineral
Goma xantana, se necessário
1 colher (chá) rasa de sal (2 g)
Pimenta-do-reino a gosto

Nota: o alginato de sódio, o gluconato de cálcio e a xantana são encontrados no site http://gastronomylab.com.

MODO DE PREPARO

1. Bata no liquidificador a macadâmia com o alho, o gelo, o azeite extravirgem, o vinagre e o suco de limão, até ficar um creme bem liso. Tempere com sal e pimenta. Reserve. **2.** Prepare o banho de alginato: bata no liquidificador água com alginato de sódio por 1 minuto e em seguida espere 24 horas para que saia o ar do líquido ou use a máquina de vácuo. **3.** Para fazer a esfera, misture gluconato de cálcio com o creme de macadâmia e bata por 3 minutos no liquidificador. Retire todo o ar. **4.** No banho de alginato já preparado, faça esferas com o creme, de aproximadamente 5 ml (use uma colher de esfera). Deixe no banho por 3 minutos, vire a esfera e deixe por mais 2 minutos. Lave com água mineral. **5.** Caso haja dificuldade para formar a esfera perfeita, ajuste a textura com água mineral ou, se precisar engrossar, use xantana. **6.** Reserve os esféricos em azeite extravirgem. **7.** Na hora de servir, aqueça água em uma panela a 55 °C. Coloque as esferas e deixe por cerca de 3 minutos. Sirva a seguir.

agulhas negras

A aventura gastronômica continuou pelo santuário ecológico da região das Agulhas Negras, que leva esse nome em referência ao pico mais alto do Parque Nacional de Itatiaia, com 2.791 metros de altitude, encravado na serra da Mantiqueira.

Esse relevo montanhoso propicia o turismo de aventura, com caminhadas e escaladas. A paisagem encantadora abriga diversidade de árvores como jequitibá e araucária, que dá o apreciado fruto do pinhão. Seus vales são repletos de cachoeiras, com águas cristalinas e geladas, condição ideal para criação de trutas.

Em meio a essa bela natureza, Visconde de Mauá, a 1.200 metros de altitude, destaca-se pelos seus encantos. É uma vila tranquila, fundada no século XIX pelo comendador Henrique Irineu de Souza, filho do Visconde de Mauá. Embora o lugarejo fique na divisa entre Minas Gerais e Rio de Janeiro, esse distrito faz parte oficialmente da cidade fluminense de Resende.

O clima, com temperatura de montanha, é um chamariz para os visitantes, principalmente no inverno. Esse friozinho combina com a saborosa cozinha mineira, servida, por exemplo, no restaurante Gosto com Gosto, um dos melhores do Brasil.

Paisagem da estrada que leva a Visconde de Mauá, na região das Agulhas Negras

Road that leads to Visconde de Mauá, in the region of Agulhas Negras

PRODUTO ▪ TRUTA ▪ TERROIR

Truta ▪ Da família do salmão, a truta precisa de baixas temperaturas e água corrente e potável para sobreviver. A Serra da Mantiqueira oferece as condições adequadas à sua produção, com temperaturas de 7 °C (inverno) a 20 °C (verão). No Brasil, cria-se apenas a espécie arco-íris, de carne delicada e saborosa. A técnica usada é a engorda, alimentando-se o peixe dia e noite em tanques iluminados por cerca de quatro meses. Quando atingem 250 gramas, são transferidas para o tanque de abate. Inicialmente os embriões vinham da Califórnia, Estados Unidos. Hoje, usam-se também os embriões de Campos de Jordão. Além de Visconde de Mauá, há criadores em Petrópolis, Teresópolis e Friburgo.

PRODUTOR

Trutário Santa Clara

O trutário está situado a 1.400 metros de altitude, a 8 km da vila de Visconde de Mauá. Em atividade desde 1984, o criador Rogério Nascimento prima pela qualidade de suas trutas. O número de peixes em cada tanque é limitado, para que cresçam saudavelmente. Depois do abate, feito de modo que a truta não sofra estresse, ela é imediatamente congelada, para a carne ficar tenra e não perder o sabor. O destaque é a truta rosa ou salmonada, alimentada com uma ração que contém betacaroteno, nutriente ingerido pelo salmão quando sobe as correntes marítimas para desovar e ganha a cor rosada. Aberto à visitação, o local tem um restaurante em que o cliente escolhe a truta que vai comer. Pode-se levar para casa o peixe congelado, defumado ou em patê. O trutário vende também para restaurantes e pousadas da região de Resende.

agulhas negras

Truta rosa de Visconde de Mauá ao alecrim

[Chef Mônica Rangel, do restaurante Gosto com Gosto – Visconde de Mauá, RJ]

Rendimento: 1 porção

ingredientes

TRUTA

1 filé de truta salmonada de 150 g
Sal e pimenta-do-reino a gosto

MOLHO

1 dente de alho picado
1 colher (sobremesa) de manteiga sem sal
8 folinhas de alecrim fresco
50 ml de creme de leite fresco

PURÊ DE MANDIOCA

150 g de mandioca
1/2 xícara de leite (100 ml)
3 colheres (sopa) de queijo parmesão ralado
1 colher (sopa) de manteiga
Sal a gosto
Ramos de alecrim para a decoração

MODO DE PREPARO

Truta Tempere a truta com sal e pimenta. Depois, doure-a, do lado da pele, em uma chapa quente; retire a pele e doure ligeiramente do outro lado. **Molho 1.** Frite o alho na manteiga, acrescente o alecrim e o creme de leite fresco. **2.** Deixe engrossar ligeiramente. **Purê de mandioca 1.** Cozinhe a mandioca no leite. Amasse bem e acrescente o queijo, a manteiga e sal. **2.** Decore o purê com alecrim. **Finalização 1.** Em um prato, disponha o purê de mandioca e, por cima, a truta cortada ao meio. Regue com o molho.

Rio de Janeiro

vale do açúcar

Rumo ao Vale do Açúcar, a equipe da Expedição se encantou com a história do cultivo de cana-de-açúcar no norte fluminense, que se desenvolveu a partir do século XVIII. A paisagem dessas terras planas e férteis modificou-se com a plantação de cana e a construção de inúmeros engenhos, muitos especializados na elaboração de aguardente. Até hoje são famosas as pingas da região, que podem ser apreciadas no Festival da Cachaça de Alambique de Quissamã, em junho.

Transformadas em museus abertos à visitação, muitas das antigas fazendas são um atrativo para que os turistas entrem em contato com a memória do cultivo do café.

A Fazenda Machadinha, erguida no século XIX pelo Visconde de Uruaí, tombada em 1979, abrigou o primeiro engenho da América Latina a usar máquinas a vapor, construídas em 1877. Tal era a sua importância que Dom Pedro II em pessoa esteve presente à inauguração.

Os descendentes dos escravos que trabalhavam nas plantações continuam vivendo no local, formando uma comunidade quilombola. Em um centro cultural são preservadas as tradições de origem africana, como o jongo, dança de terreiro.

O local abriga também a Casa das Artes, ligada ao projeto Raízes do Sabor, cujo propósito é resgatar a culinária afrodescendente. Por isso mantém um restaurante com receitas como o bolo falso (farinha de mandioca, queijo, ovos, coco e leite) e a sanema (doce feito com mandioca, ovos, coco e manteiga batida). Um prato curioso é o capitão de feijão (bolinho temperado), que antigamente eram as sobras do feijão da casa-grande às quais os escravos misturavam farinha, fazendo bolinhos que comiam com as mãos.

Complexo Cultural Fazenda Machadinha, em Quissamã, que no passado era uma senzala

Machadinha Farm Cultural Complex, in Quissamã, which used to be a slave house in the past

PRODUTO ▪ CACHAÇA ▪ TERROIR

Cachaça artesanal ▪ O Vale do Açúcar, com sua topografia plana, favorece o plantio de cana-de-açúcar, facilitando o uso de máquinas e evitando a erosão. Os solos da Mata Atlântica são férteis e, aliados ao clima seco e frio, produzem uma cana rica em sacarose, que contribui para enriquecer o sabor e o aroma da cachaça. O uso de alambiques de cobre dá origem a um produto artesanal, com a possibilidade de extrair apenas o "coração" da bebida, isto é, sua essência, desprezando-se os 10% iniciais (cabeça) e finais (cauda). Para aprimorar a aguardente local, são organizados cursos e seminários sobre os processos de produção.

PRODUTOR

Engenho São Miguel

Engenheiro agrônomo e produtor, Haroldo Cunha Carneiro é da sétima geração de proprietários do Engenho São Miguel. Uma parte do canavial é orgânica, cuja adubação se faz com vinhaça, o resíduo da própria cana. Além da cachaça São Miguel, o carro-chefe, o engenho produz melaço, rapadura e açúcar mascavo, aproveitando ao máximo o potencial da planta. Na produção da cachaça São Miguel, usam-se leveduras da própria cana-de-açúcar. Pronta, a aguardente amadurece em barris de madeira de umburana, cerejeira, bálsamo, carvalho-francês e amendoim, que lhe conferem um sabor especial e peculiar. Construído no início do século XX, o casarão de estilo neoclássico francês, sede do engenho, encanta a todos que o visitam para degustar as cachaças.

Leite frito com toffee de cachaça

[Roberta Sudbrack, do restaurante Roberta Sudbrack – Rio de Janeiro, RJ]

Rendimento: 1 porção

ingredientes

1 1/2 litro de leite integral
1 pedacinho de casca de laranja e de limão
5 gemas
9 colheres (sopa) + 100 g de açúcar
5 colheres (sopa) de maisena
Farinha de trigo
4 ovos caipiras
Óleo para fritar
100 ml de doce de leite
2 colheres (café) de cachaça

MODO DE PREPARO

1. Coloque 1 litro e 400 ml de leite para ferver com as cascas de laranja e de limão. Reserve os 100 ml restantes. **2.** Bata as gemas com as 9 colheres de açúcar até ficar bem esbranquiçado. Acrescente a maisena e os 100 ml de leite reservados e misture bem. **3.** Retire o leite do fogo e acrescente, com cuidado, aos pouquinhos e mexendo sempre, a mistura de ovos, açúcar e maisena. **4.** Retorne ao fogo baixo e cozinhe apenas até ficar espesso. Não mexa demais, só o necessário para não grudar. **5.** Coloque imediatamente em um recipiente com altura mínima de 3 cm. **6.** Esfrie por pelo menos 4 horas. **7.** Retire, corte, passe em farinha de trigo e nos ovos batidos e frite em óleo não muito quente. Passe no açúcar restante e gratine com a ajuda de um maçarico até ficar bem crocante. **8.** Aqueça o doce de leite em fogo muito baixo até ficar bem mole. Junte a cachaça, misture bem e sirva com o leite frito.

Rio de Janeiro

região metropolitana

Andar pelos calçadões de Ipanema é como estar num musical cheio de graça, ao som de "Olha que coisa mais linda...". Todo o Rio tem ritmo, presente no samba-enredo, marca registrada das escolas de samba e considerado Patrimônio Imaterial brasileiro.

A equipe da Expedição Gastronômica pôde sentir essa cadência espontânea que se faz ouvir por toda parte, como nas rodas populares e nos botequins, que são verdadeiras instituições locais e pontos de encontro sagrados para beber um chope e comer bolinho de bacalhau — herança da forte influência portuguesa. Entre tantos petiscos está o prestigiado bolinho de feijão, uma alusão à afamada feijoada completa.

Verdadeiras esculturas da natureza, o Pão de Açúcar e o Corcovado tornam ainda mais feminino o relevo do Rio. E tão profano quanto sacro: o Cristo Redentor, de braços abertos para a Guanabara, além de proteger os fiéis, figura entre as Sete Maravilhas do Mundo Moderno.

A capital é referência nacional na gastronomia. Nela nasceram pratos clássicos como o picadinho da meia-noite, concebido em 1950, no charmoso Hotel Copacabana Palace. Entre os cartões-postais do Rio está a secular Confeitaria Colombo, que, inaugurada em 1894, serve quitutes tradicionais, como a empadinha de camarão e o casadinho.

Atrações imperdíveis são os tradicionais mercados, onde se encontra de tudo, e as feiras de orgânicos, uma iniciativa pioneira que propicia o crescimento do setor e colabora para manter o estilo saudável do carioca.

No Rio estão sediados chefs de fama incontestável, que utilizam com primor ingredientes brasileiros, como a premiada e irreverente Roberta Sudbrack e o criativo chef Felipe Bronze, do restaurante Oro.

E, claro, o renomado Claude Troisgros, o francês mais carioca que existe, e seu filho Thomas, que comandam o Olympe e a CT Trattorie. Empreendimento mais recente de Claude, a trattoria faz releituras de receitas clássicas da Itália, feitas e servidas à moda francesa. A ideia tem explicação: a avó de Claude é italiana.

Eis um segredinho dos Troisgros: os peixes e frutos do mar servidos em suas casas são comprados no Mercado de Peixes São Pedro, em Niterói, de onde veio o namorado — uma das receitas deste capítulo — que Thomas preparou à moda da *nonna* Ana.

CIRCUITO Feiras Orgânicas CARIOCA
CULTIVAR BRAZIL
Rio de Janeiro / RJ
BAIRRO PEIXOTO
GLORIA
IPANEMA
LEBLON
JARDIM BOTÂNICO
Brownie orgânico
Brownie orgânico
CIRCUITO
Feiras Orgânicas
CARIOCA

FEIRAS E MERCADOS

Feira de orgânicos do Leblon

Na praça Antero de Quental, às quintas, há a feira do Leblon. Embora pequena, com cerca de 30 barracas, atrai os visitantes pela qualidade dos produtos. Ela faz parte do Circuito Carioca de Feiras Orgânicas, promovido pela Secretaria de Desenvolvimento Econômico Solidário da Cidade do Rio de Janeiro (Sedes) e pela Associação de Agricultores Biologicos do Estado do Rio de Janeiro (Abio). Aos sábados há feiras também na Glória, no Peixoto e no Jardim Botânico; às terças, em Ipanema, e às quintas, na Tijuca. Os produtores, muitos deles de agricultura familiar — a maioria da Região Serrana de Nova Friburgo, Teresópolis e Petrópolis —, vendem diretamente nessas feiras, sem atravessador. São produtos como pães, quinua, soja, cacau, linhaça, biscoitos sem glúten. Na barraca Vivo & Orgânicos há deliciosos sucos para degustar.

Cobal do Humaitá

A Cobal é um mercado em que se encontra de tudo, desde hortifrútis frescos e produtos naturais, como mel, própolis e pólen, até lojas de decoração. É também um ponto de encontro noturno da galera, pois na parte externa existem boas opções de restaurantes e bares para tomar chope, comer pizza ou comida japonesa.
Há na Cobal delicatéssen, floriculturas, lojas de vinho — cujos profissionais ajudam na escolha da bebida. Lá, ainda, é oferecido um bom expresso.

FEIRAS E MERCADOS

O tradicional Cadeg

No seu cinquentenário, o Centro de Abastecimento do Estado da Guanabara (Cadeg), que já é Patrimônio Imaterial do estado, recebeu o nome de Mercado Municipal. Inaugurado em 1962, fica no bairro de Benfica, num enorme galpão de 100 mil metros quadrados, com ofertas de frutas, legumes, verduras e cereais. Trata-se do maior centro distribuidor de flores e plantas do Rio de Janeiro.

Querido por todos, o Cantinho das Concertinas, uma casa portuguesa comandada por seu Carlinhos e esposa, tem um delicioso bolinho de bacalhau — o quitute simbólico da capital — e promove todos os sábados uma festa típica de sua terra natal, com muita dança e sardinha na brasa.

CARFRUTI
RAMA FORTE
40

MERCADO SÃO PEDRO
Muqueca de Peixe
Arroz do Mar
É PROIBIDO A ENTRADA DE CÃES E BICICLETAS
É PROIBIDO A ENTRADA DE CÃES E BICICLETAS
MERCADO DE PEIXE SÃO PEDRO

FEIRAS E MERCADOS

Os atrativos de Niterói

A Baía de Guanabara separa a capital fluminense de Niterói, cidade fundada em 1573 com o intuito de proteger os portugueses dos ataques dos piratas que vinham em busca do pau-brasil. Niterói, nome de origem tupi, significa "baía sinuosa".
Entre as atrações da cidade está o Museu de Arte Contemporânea (MAC), que, projetado por Oscar Niemayer, parece olhar para a imensidão do mar. Outra é o Mercado São Pedro.

Mercado São Pedro

Há mais de 40 anos, é famoso por ser o maior mercado de peixes do estado do Rio de Janeiro. Referência em pescados e frutos do mar frescos procedentes da região dos Lagos, principalmente de Búzios e Cabo Frio, o Mercado São Pedro é frequentado tanto pelos cariocas quanto por chefs renomados como Thomas Troisgros, da prestigiada família de chefs. "É o melhor lugar para comprar peixes no Rio", diz.
Todos os dias às 2h da madrugada acontece um leilão de peixes — quem madruga arremata os melhores exemplares. O mercado, porém, abre às 6h. A oferta é grande: pargos, atuns, polvos, mexilhões, sardinhas... Mas robalo, namorado, dourado e cherne são os peixes mais vendidos. No andar superior ficam os bares e restaurantes que preparam o peixe fresco recém-comprado pelos clientes. Um privilégio.

Rio de Janeiro
região metropolitana

Namorado com azedinha

[Chef Thomas Troisgros, do restaurante Olympe, CT Trattorie, CT Brasserie e CT Boucherie – Rio de Janeiro, RJ]

Rendimento: 4 porções

ingredientes

MOLHO

- *1 cebola picada*
- *3/4 de xícara de vinho branco seco (125 ml)*
- *1/3 de xícara de martíni dry (60 ml)*
- *2/3 de xícara de caldo de peixe (125 ml)*
- *1 xícara de creme de leite (180 ml)*
- *Sal e pimenta-do-reino a gosto*
- *1/2 colher (sopa) de manteiga*
- *100 g de azedinha (para a finalização)*
- *Suco de 1/2 limão (para a finalização)*

VEGETAIS

- *1 colher (sopa) rasa de minicenoura (5 g)*
- *1 colher (sopa) rasa de minicouve-flor (5 g)*
- *1 colher (sopa) rasa de minicebola (5 g)*
- *1 colher (sopa) rasa de minivagem-francesa (5 g)*
- *1 colher (sopa) rasa de minibrócolis (5 g)*
- *1 colher (sopa) rasa de miniabobrinha (5 g)*
- *1 colher (sopa) de ervilha fresca (5 g)*
- *1 colher (sopa) de azeite*
- *1/2 colher (sopa) de açúcar (5 g)*
- *Sal e pimenta-do-reino a gosto*

NAMORADO

- *4 porções de 180 g de namorado*
- *Sal e pimenta-do-reino a gosto*

MODO DE PREPARO

Molho 1. Junte a cebola, o vinho branco, o martíni dry e o caldo de peixe e reduza em fogo baixo, até quase secar completamente. **2.** Coloque o creme de leite e deixe ferver. **3.** Tempere a gosto e peneire. Reserve. **Vegetais 1.** Lave e limpe os vegetais. **2.** Puxe todos numa frigideira com o azeite e caramelize com o açucar. **3.** Tempere com sal e pimenta. Reserve. **Preparo e finalização 1.** Tempere o namorado com sal e pimenta. **2.** Grelhe rapidamente dos dois lados numa frigideira bem quente. **3.** Esquente o molho e acrescente a manteiga, a azedinha e o suco de limão. **4.** Regue o prato com o molho. Distribua os vegetais preparados no centro do prato e disponha o namorado por cima. **6.** Sirva imediatamente.

3

O ESTADO DE

Pernambuco

Na voz do compositor, multi-instrumentista e brincante **Antonio Nóbrega**, Pernambuco é uma **profusão de ritmos** como maracatu, frevo, baião, umbigada, manifestações marcadas pelas **múltiplas influências** de portugueses, africanos e indígenas. É também um encontro de **emoções e sabores** — como o umbu, fruto doce característico, verdadeiro **tesouro do sertão** —, que foram desvendados pelo equipe da Expedição Gastronômica.

Poderíamos enxergar Pernambuco pelo olhar do escritor **Gilberto Freyre** e enveredar pela **afetuosidade do povo** e seu gosto pelo açúcar. Ele vem dos engenhos da Zona da Mata, que desde o século XVII é berço de **bolos famosos** como o Souza Leão, que, criado por dona Rita de Cássia Souza Leão Bezerra Cavalcanti, do engenho São Bartolomeu, está presente em todas as **comemorações**, tanto que se tornou **Patrimônio Imaterial do estado**.

A Zona da Mata abriga outros **produtos exclusivos**, como o mel de engenho, a rapadura, o doce de laranja-da-terra. É berço das **casas de farinha**, como as de Glória do Goitá, e das **aves caipiras** de Carpina, produtos que mobilizam famílias inteiras na **produção artesanal**.

Pernambuco

O charme das casas coloniais de Olinda, na rua do Amparo

The charm of colonial houses of Olinda, in Amparo Street

As belas torres barrocas da Igreja do Carmo, com vista para o mar, em Olinda

The beautiful baroque towers of Carmo Church, facing the ocean

Em uma mesa pernambucana não faltam o **queijo de coalho** e a **manteiga de garrafa**. São destaques da bacia leiteira do Agreste, assim como o queijo--manteiga, uma iguaria local. Essas e tantas outras delícias pernambucanas podem ser encontradas na **Feira de Caruaru**, a maior feira livre popular do mundo, considerada Patrimônio Imaterial do Brasil pelo Iphan. Ela tem de tudo: ingredientes, pratos, temperos e artesanato. Na cidade se realiza uma das maiores festas de São João, com forró pé de serra e quadrilhas ao som de **Luiz Gonzaga**, e as tradicionais bandas de pífanos, conjuntos instrumentais de percussão e sopro.

À mesa, muitas **receitas de milho** e o bolo pé de moleque, feito de mandioca e castanha de caju. No sertão, predominam os **pratos mais vigorosos**, como a buchada. No meio da aridez, o **Vale do São Francisco** representa um oásis, que dá muitos peixes e vinhos finos, resultado de um avançado sistema de irrigação. E um doce de leite muito especial, feito em Afrânio. É assim, cheio de riquezas, que Pernambuco fala para o mundo da sua **cozinha genuína**.

zona da mata

O grande sociólogo Gilberto Freyre costumava dizer: "Sem açúcar, não se entende o Nordeste, não se entende o Brasil". Foi na Zona da Mata pernambucana que se iniciou, no século XVII, o ciclo da cana-de-açúcar, a primeira economia do então Brasil-Colônia.

Uma parcela das casas-grandes foi transformada em charmosas pousadas, mantendo-se as construções e o mobiliário de época.

A forte presença negra na mão de obra escrava que trabalhava nos canaviais desenvolveu manifestações culturais como o maracatu, encenação musical em que baianas e caboclos portando lanças dançam e cantam em homenagem aos orixás. Por isso se criou a rota turística Engenhos e Maracatus.

Considerada a terra do maracatu de baque solto ou rural, a cidade de Nazaré da Mata mantém dezenas de grupos de brincantes que se apresentam no Carnaval. O município é reconhecido também pelos engenhos de açúcar remanescentes, como o Cueirinhas, hoje um hotel-fazenda.

Nessa região da Mata Atlântica que cobria o litoral, na fronteira com Alagoas, fica o município Quipapá, no século XVII ocupado por parte do Quilombo dos Palmares, o maior núcleo de resistência negra contra a escravidão. O nome da cidade foi dado pelo lendário Zumbi, que durante uma fuga parou para descansar no alto de uma serra de vegetação rasteira e espinhosa denominada quipá. Algumas fazendas ainda fabricam rapadura e mel de engenho, como a Laje Bonita, que preserva uma roda-d'água histórica.

Glória do Goitá — terra do mamulengo, fantoches típicos do Nordeste —, há cerca de meio século, era um polo de fabricação e distribuição de farinha de mandioca. Hoje, na zona rural ainda se encontram algumas casas de farinha como fonte de renda. No limite da Zona da Mata com o Agreste, Carpina e arredores representam um importante centro avícola de frango caipira.

Nara Maranhão
Doce Engenho gastronomia

PRODUTO ▪ DOCE DE LARANJA-DA-TERRA ▪ TERROIR

Doce de laranja-da-terra ▪ Originária do continente asiático, essa laranja chegou com as primeiras mudas no século XVI. Adaptou-se muito bem na Zona da Mata pernambucana, com clima tropical e períodos de seca e de chuva bem definidos. Nos engenhos de outrora, sempre havia um pomar onde se plantava laranja-da-terra. Como a polpa é muito azeda, usa-se apenas a casca, grossa e porosa, para fazer compota. O alto teor de açúcar dá um saboroso contraste com a acidez da fruta. Trata-se de um doce muito tradicional, cuja receita passa de mãe para filha. "As senhoras na faixa de 80 anos comentam que suas avós já faziam", diz Nara Maranhão, dona do Engenho Cueirinhas

PRODUTOR

Engenho Cueirinhas [Nazaré da Mata]

Dona Nara descende de Jerônimo de Albuquerque Maranhão, cunhado de Duarte Coelho, donatário da capitania de Pernambuco, que fundou o Cueirinhas. Já na 16.ª geração, o antigo engenho virou um hotel-fazenda, tocado pela confeiteira Nara Maranhão, formada pelo Senac e pós-graduada em gastronomia do Nordeste.

Ela prepara para os hóspedes uma mesa farta de doces regionais, como tapioca com coco, bolo Souza Leão e a compota de laranja-da-terra. "Esse doce tem uma memória gustativa muito grande", diz. "É muito trabalhoso, sua produção leva cinco dias." É feito no tacho de cobre a partir de uma base de caramelo seco, aromatizado com cravo e canela. A produção, orgânica, pode ser encontrada também na loja Doce Engenho, do Recife.

PRODUTO ▪ MEL DE ENGENHO E RAPADURA ▪ TERROIR

Mel de engenho e rapadura ▪ O mel de engenho ou melaço é feito com o caldo fervente da cana-de-açúcar, retirado líquido; quando está no ponto de cristalizar, é colocado em moldes e se transforma em rapadura. Excelente para o cultivo da cana, a fértil terra de massapé, de cor bem escura e com elevada presença de argila, própria da Zona da Mata, é a razão pela qual muitos pequenos e médios produtores não usam adubos nas plantações. "Por esse motivo, o açúcar da nossa região é o mais valorizado do Brasil", diz Paulo Fernando Vieira, do Engenho Laje Bonita.

PRODUTOR

Engenho Laje Bonita [Quipapá]

Na Zona da Mata Sul, com 13 hectares de reserva florestal, encontra-se o Laje Bonita, rodeado de vegetação e riachos, cujas águas movimentam desde 1890 uma grande roda-d'água — o principal atrativo da fazenda — para fazer a moagem da cana. Há 122 anos nas mãos da mesma família, o engenho é comandado por Paulo Fernando Vieira, sua esposa, Melânia Calado Alves Vieira, e o filho Leonardo Francisco Alves Vieira. A qualidade da rapadura e do mel de engenho produzidos na propriedade, com matéria-prima selecionada, sem conservantes nem aditivos químicos, é reconhecida em todo o Nordeste. Aqui se fazem também rapadura com erva-doce, cravo e canela, a rapadurinha — em tabletes e em barra piramidal —, o açúcar mascavo integral e a cachaça artesanal de alambique Laje Bonita. "Atualmente, além das receitas tradicionais, há demanda de mel de engenho e rapadura para sorvetes, broas de fubá, bolachas e bolos", diz Paulo Fernando. A equipe da Expedição Gastronômica Brasileira se extasiou com o bolo de mel de engenho e a cuca de banana e rapadura.

PRODUTO ▪ FARINHA DE MANDIOCA ▪ TERROIR

Mandioca ▪ Há gerações a mandioca e seus subprodutos, como a farinha, fazem parte da subsistência e da alimentação diária do povo de Feira Nova, Lagoa do Itaenga e Glória do Goitá. O plantio ocorre de abril a setembro, e a colheita se faz depois de um ano. Uma importante iniciativa para a região foi o projeto Corredor da Farinha, desenvolvido entre 2009 a 2011. O objetivo, alcançado, era melhorar a cadeia produtiva da mandioca, aumentando a qualidade e o lucro, apresentando novas tecnologias, eliminando a figura do atravessador e mantendo o agricultor no campo. Isso porque o grande concorrente desse processo artesanal é a farinha industrializada, mais barata. Sílvia Sabadell, responsável pela Cooperativa Comadre Fulozinha, coordena a produção e a distribuição da farinha quebradinha, especialidade de Pernambuco, mais granulada, consumida por clientes como Claude Troisgros, do restaurante Olympe, no Rio de Janeiro, e Helena Rizzo, do Maní, em São Paulo.

PRODUTOR

Casa de farinha de Pedro Jacinto da Costa [Glória do Goitá]

Uma das 35 casas de farinha remanescentes é a de Pedro Jacinto da Costa, que está no ramo há cerca de 30 anos. Os oito funcionários produzem 250 kg de farinha por semana. O líquido venenoso extraído com a prensagem da mandioca, a manipuera — que no Norte se chama tucupi —, antigamente era descartado nos rios, causando impacto ambiental. O projeto Corredor da Farinha ensinou a preparar com ele adubo para a terra. A visão desse pequeno agricultor se tornou empreendedora: ele cuida da sua contabilidade, acompanha todos os processos e visualiza os seus ganhos.

PRODUTO ▪ AVES CAIPIRAS ▪ TERROIR

Aves caipiras ▪ Em Carpina prevalece a criação de aves caipiras, soltas no quintal. Isso torna importante o cultivo de milho, que os agricultores fracionam em três partes: para comercializar, alimentar a família e dar como ração às aves. As chuvas proporcionam uma boa safra, que fomenta esse negócio; na seca, porém, escasseavam o alimento e a reprodução das aves. Criadores encontraram a solução: produzir pintinhos em maior escala para fornecer aos sitiantes, sem que estes se preocupem com a procriação. "A gente faz uma produção de aves como no passado, mais natural, mas com mais tecnologia", diz Fábio de Andrade Lima Ferrari, da Avícola Aves do Campo. Isso é possível graças ao clima quente (36 °C), propício à criação. "Não precisamos desmatar para aquecer e economizamos energia."

PRODUTOR

Aves do Campo [Carpina]

Há 20 anos no mercado, a avícola produz mais de 100 mil pintinhos por semana e cria galinhas caipiras e d'angola, marrecos, patos e faisões — espécies antes abatidas pela caça no hábitat natural.

A Aves do Campo adaptou-as ao regime semiconfinado, sem promotores de crescimento nem antibióticos, e oferece carnes e ovos em escala maior. As aves, cuja ração é à base de vegetais, cereais e minerais, saem do poleiro duas vezes por dia e dormem à noite.

O abate — em 90 dias, e não em 40, como no caso dos frangos comuns — está em cerca de 6 toneladas por mês. Fábio atende ainda às exigências de chefs como Douglas Van der Ley e Bruno Catão, que preferem o sabor do frango caipira.

Galinhas-d'angola criadas pela avícola Aves do Campo

D'angola chicken raised by the poultry farm Aves do Campo

Pescada amarela com crosta de gergelim em cama de legumes com molho de rapadura

[Chef Douglas Van der Ley, do Iate Club Cabanga – Recife, PE]

Rendimento: 1 porção

ingredientes

PEIXE

- *160 g de pescada cortada em 4 lâminas*
- *1/2 xícara de molho de soja*
- *80 g de gergelim*
- *3 colheres (sopa) de azeite de oliva*
- *2 colheres (sopa) de cebolinha*

LEGUMES

- *1 colher (sopa) de azeite de oliva*
- *1/2 dente de alho amassado*
- *1 xícara de acelga cortada em pedaços largos*
- *1/2 xícara de cenoura cortada em lâminas finas*
- *1/2 xícara de alface americana cortada em pedaços largos*
- *1 colher (sopa) de molho de soja*

MOLHO

- *3 colheres (sopa) de molho de soja*
- *3 colheres (sopa) de rapadura batida*
- *1/2 xícara de leite de coco fresco*
- *1 colher (sopa) de tabasco*
- *2 colheres (sopa) de vinagre*
- *Um fio de azeite de oliva*

MODO DE PREPARO

Peixe 1. Marine as lâminas de peixe no molho de soja por um minuto. **2.** Passe as lâminas de peixe no gergelim. **3.** Na sequência, aqueça uma frigideira e regue com o azeite. **4.** Grelhe as lâminas de peixe dos dois lados a seu gosto e polvilhe com a cebolinha levemente frita. Reserve. **Legumes 1.** Na mesma frigideira que grelhou o peixe, disponha o azeite mencionado para os legumes e doure o alho. Acrescente a acelga, a cenoura, a alface e o molho de soja. **Molho 1.** Bata todos os ingredientes do molho no liquidificador. **Finalização 1.** Em um prato, disponha os legumes mornos, sobreponha o peixe, regue com o molho e mais um pouco de cebolinha salteada.

zona da mata

Galinha-d'angola guisada

[Chef Bruno Catão, do restaurante Parraxaxá – Recife, PE]

Rendimento: 4 porções

ingredientes

GALINHA

1 kg de galinha-d'angola, cortada em pedaços
1/3 de xícara de vinho branco (70 ml)
1 colher (sopa) rasa de sal (10 g)
1 colher (sopa) rasa de pimenta-do-reino (10 g)
3 dentes de alho
1/3 de xícara de manteiga de garrafa (70 ml)
1 cebola picada
1 tomate picado
1/2 pimentão verde picado
1/4 de xícara de molho inglês (50 ml)
2 colheres (sopa) rasas de páprica (20 g)
2 colheres (sopa) rasas de colorau (20 g)
1 colher (sopa) rasa de cominho (10 g)
4 xícaras de água mineral (800 ml)
2 colheres (sopa) de cheiro-verde (30 g)

FAROFA

300 g de fubá
1 dente de alho
2 colheres (sopa) de manteiga de garrafa (20 ml)

MODO DE PREPARO

Galinha 1. Marine a galinha com o vinho branco, o sal e a pimenta-do-reino. Deixe descansar na geladeira. **2.** Em uma panela, doure a galinha em pedaços no alho e na manteiga de garrafa. **3.** Em seguida, acrescente a cebola, o tomate, o pimentão, o molho inglês e os temperos secos. **4.** Adicione água e deixe cozinhando em fogo brando por aproximadamente 30 minutos. **5.** Ajuste o sal e acrescente o cheiro-verde no final. **Farofa 1.** Hidrate o fubá com água e leve à frigideira para torrar/secar. **2.** Em paralelo, doure o alho na manteiga de garrafa e acrescente o fubá. **3.** Misture e torre/seque, para que fique crocante. **Finalização 1.** Disponha pedaços de galinha no centro do prato e a farofa no entorno.

agreste pernambucano

Transição entre o Sertão e a Zona da Mata, o Agreste pernambucano apresenta, pela proximidade do litoral, um tempo de seca menor que a região do semiárido. O relevo acidentado do Planalto da Borborema tem um clima de altitude, com temperaturas menores e índices de chuva maiores.

Garanhuns, a 900 metros do nível do mar, é conhecida como "a cidade das flores", por seus canteiros e árvores. A terra do ex-presidente Luiz Inácio Lula da Silva é famosa pelo Festival de Inverno (FIG) — reunindo músicos regionais e grandes nomes da MPB —, que acontece em paralelo com o Festival Gastronômico, de que participam os restaurantes locais, harmonizando seus pratos com os vinhos do Vale do São Francisco.

O carro-chefe de Garanhuns e arredores, porém, é a produção de queijo de coalho e queijo-manteiga. Graças à altitude, desde a primeira metade do século XVII iniciou-se a criação de gado, surgindo várias propriedades rurais que se espalharam por cidades próximas, como Pedra e Arcoverde.

O município de Pedra era uma antiga fazenda de gado, que com o tempo se tornou o povoado de Nossa Senhora da Conceição da Pedra, em homenagem à padroeira. É lá que o produtor Ricardo Valério fabrica, no Laticínio Valelac, de maneira artesanal, o queijo-manteiga e a manteiga de garrafa.

Arcoverde, porta de entrada do Sertão pernambucano, é o berço de alguns dos mais tradicionais grupos de samba de coco — manifestação cultural de origem africana, composta de uma roda com marcação de palmas e versos cantados. É desse município e das imediações que vem boa parte da produção do queijo de coalho, um dos alimentos mais simbólicos do povo pernambucano. Exemplo de laticínio de qualidade é o Rio Branco.

Segundo o chef César Santos, o queijo de coalho com padrão de excelência fica ótimo acebolado, com orégano e tostado na chapa, e na cartola, sobremesa típica que une banana e o delicioso queijo.

Camburão de leite na Queijaria Rio Branco, em Arcoverde

Milk truck in the Rio Branco Dairy, in Arcoverde

Queijaria Artesanal
QUEIJO
RIO BRANCO
INDÚSTRIA BRASILEIRA
MANTENHA RESFRIADO ATÉ 10ºC
Pesar à vista do consumidor

PRODUTO ▪ LATICÍNIOS ▪ TERROIR

A produção de queijo de coalho, queijo-manteiga e manteiga de garrafa está ligada aos aspectos históricos, culturais e econômicos do agreste pernambucano. É fundamental como fonte de renda para as comunidades rurais que os fabricam. Desde a época do Brasil-Colônia, esses derivados do leite eram uma forma de aproveitamento e conservação. Recentemente o governo do estado, com o Sebrae, iniciou um trabalho para habilitar os queijeiros a seguir um padrão de qualidade, que envolve regras de produção e higiene sanitária, além de delimitação da área em que se faz o queijo. O resultado será a obtenção da Indicação Geográfica para o produto. São 44 municípios inscritos, entre eles, Garanhuns, Pedra e Arcoverde. A ideia é preservar a produção artesanal, parte do patrimônio nordestino. Além da massa prensada e uniforme, o queijo de coalho pernambucano tem um sabor sutilmente adocicado, fruto provável da alimentação das vacas, baseada na cultura da palma forrageira.

PRODUTOR

Laticínio Rio Branco [Arcoverde]

O Laticínio Rio Branco está instalado numa chácara de oito hectares, a Cajazeiro. O proprietário, o veterinário Alberto Vaz, domina toda a produção: da criação das vacas (girolando, uma mistura de boi indiano com holandês) à elaboração do queijo de coalho — feito com leite fresco cru, acrescentando-se coalho químico.

O coalho é formado após o descanso da massa, momento de cortá-la para soltar o soro. A parte sólida é colocada em fôrmas de inox e levada à prensa. Como se trata de um queijo fresco, tem validade curta, de apenas 20 dias. A equipe da Expedição degustou e aprovou esse produto simbólico do Nordeste.

PRODUTOR

Laticínio Valelac [Pedra]

O laticínio do empresário Ricardo Valério é bem estruturado, com equipamentos de inox, funcionários adequadamente uniformizados e produção sem aditivos químicos. Na empresa se produz manteiga de garrafa, clarificada, que se mantém líquida em temperatura ambiente. Ela é obtida pelo cozimento da manteiga até que se evapore toda a água e restem apenas a gordura e as partículas sólidas da nata. Ricardo fabrica ainda o especial queijo-manteiga. Conhecido também como requeijão do Norte, é feito do leite cozido, coalhado e acrescido de cerca de 30% de manteiga de garrafa ao final do processo. Para obter uma massa mais sólida e uniforme, para um quilo de queijo usam-se dez litros de leite em vez de sete. O leite é desnatado para que o produto não fique tão gorduroso. Todo esse cuidado faz com que Ricardo tenha como clientes as delicatéssens e os restaurantes renomados do Recife.

sertão pernambucano

Desertão... Em alusão ao clima quente e seco do interior do Nordeste, passou a se chamar apenas Sertão. Nessa terra de tons alaranjados, queimada pelos longos períodos sem chuva, a vegetação é típica da Caatinga, composta de arbustos e árvores rasteiras, como a braúna, o juazeiro, o babaçu, o cajueiro, a mangabeira, a oiticica, a aroeira...
O umbuzeiro já foi enaltecido como "árvore sagrada do sertão" pela pena de Euclides da Cunha, em *Os sertões*. Atualmente, chefs como Rodrigo Oliveira, do Mocotó, em São Paulo, usam a polpa para produzir sobremesas criativas. Nesse cenário seco há, ainda, a presença de cactos, capazes de armazenar água por muito tempo, como o xique-xique e o mandacaru, de uma beleza ao mesmo tempo árida e vigorosa. Resistir às adversidades do Sertão é para bravos, como Lampião e Maria Bonita, ou para artistas, como Luiz Gonzaga, que nasceu em 1912, em Exu, em pleno semiárido de Pernambuco. Com sua sanfona, ele levou para todo o Brasil o baião e o forró pé de serra do sertanejo.
Por ser mais adaptado do que o boi ao clima semiárido brasileiro, o bode — o cabrito, quando maduro, tão onipresente no sertão que está na literatura de cordel — se tornou ingrediente básico na mesa nordestina. Existem inúmeras receitas típicas com sua carne: da famosa buchada (guisado dos miúdos) ao cozido, bode recheado e assado. A carne, embora ainda sofra preconceitos, tem ótimo sabor.

vale do são francisco

Verdadeiro manancial gastronômico, o Grande Chico (como é chamado o rio São Francisco) abastece uma parte da região semiárida de Pernambuco. A beleza de suas margens e o fato de ser um rio perene atraem muitos turistas. Eles navegam nas embarcações típicas, sempre protegidas pelas carrancas presentes nas proas, que, segundo a lenda, espantam os maus espíritos e os perigos das águas.

Os visitantes aproveitam para saborear deliciosos pratos locais, como piau na brasa recheado com farofa e moqueca de cari, que, considerado a "lagosta" do rio São Francisco, é encontrado em pequenas comunidades de pescadores, como a de Pedra, em que se vive dos frutos do rio.

O São Francisco tem enorme importância econômica, social e cultural para as cidades que o margeiam, destacando-se Petrolina. Aqui, por meio de técnicas avançadas de irrigação, se desenvolveu a importante atividade da fruticultura, principalmente a manga e a uva.

Uma atração imperdível de Petrolina é o Bodódromo, que tem fama de ser o maior complexo gastronômico para degustação da carne de bode. Instalado ao ar livre, o espaço conta com muitos restaurantes, quiosques e área exclusiva para festas. Além dos tradicionais bode assado ao vinho e buchada, há um sem-número de pratos derivados de bode, como guisado, no espetinho, no sarapatel, na pizza.

Quando se chega a Lagoa Grande, logo se vê a placa: "A capital nordestina da uva e do vinho". De fato a cidade, que faz parte do Polo Agroindustrial de Petrolina, concentra um grande centro vinícola, com produtores nacionais e internacionais que exportam para vários países.

Uma especialidade de Afrânio, município localizado no extremo oeste do estado, é o doce de leite branco, um luxo do Sertão, preparado com esmero há gerações pelos doceiros locais.

sertão pernambucano

PRODUTO ▪ VINHO ▪ TERROIR

Tradicionalmente, a produção vinícola está ligada a baixas temperaturas. O Vale do São Francisco constitui uma exceção à regra, pois o clima semiárido faz com que as uvas sofram a ação do sol quase o ano todo. O sistema de irrigação — que vem do rio São Francisco —, a poda criteriosa, a excelente luminosidade e o solo argiloso-silicioso propiciam de duas a três safras anuais e tornaram a região um grande polo produtor de vinho. Todos esses fatores fazem a uva adquirir alto teor de açúcar; por isso, a vocação do Vale do São Francisco é a moscatel. Obtêm-se também boas safras de outras castas, como a cabernet sauvignon e a shiraz. O pioneirismo da região tornou possível a elaboração de bons vinhos em pleno Sertão. O Vale, aliás, foi destaque no filme *Mondovino*, do diretor Jonathan Nossiter, sobre várias regiões produtoras no mundo.

PRODUTOR

Vitivinícola Santa Maria [Fazenda Planaltino, Lagoa Grande]

A Santa Maria dista 10 km de Lagoa Grande. Responsável pelo conhecido rótulo Rio Sol, a vinícola detém um feito único no mundo: a elaboração de um vinho tropical graças a ciclos contínuos de produção de uva o ano todo. Com área de 200 hectares, a fazenda gera 1,6 milhão de litros de vinhos e espumantes, 30% dos quais são exportados a granel. Em 2002 a vinícola, que opera desde 1986, passou para as mãos dos portugueses da Dão Sul, uma das mais conceituadas produtoras de vinho da Europa. José Eldo Evangelista, funcionário da Santa Maria, foi quem a apresentou à Expedição Gastronômica. Ele conduziu a equipe pelos vinhedos e mostrou o cultivo da videira, feito em sistema tradicional de latada (condução horizontal) e de espaldeira (condução vertical, que permite maior insolação). As principais castas cultivadas são cabernet sauvignon, shiraz, aragonês, touriga nacional, alicante bouschet e moscato canelli.

RIO SOL
VICARD
RIO SOL
VICARD
RIO SOL
VICARD
AMERIQUE
VICARD

Casta- Syrah
Clone- 100
P.e.- IAC 572

Peixe cari, "a lagosta" do rio São Francisco

Cari fish, "the lobster" from the São Francisco River

PRODUTO ▪ PEIXES ▪ TERROIR

A comunidade de pescadores de Pedrinhas, que faz parte do município de Petrolina, vive da pesca do cari. Nativo do Velho Chico, é chamado também de cascudo-preto. Com cerca de 50 centímetros, foi rechaçado comercialmente por muito tempo, por causa do aspecto feio: casca dura com manchas, cabeça grande e achatada.
Os chefs de cozinha, porém, descobriram recentemente que a textura e o sabor maravilhoso desse peixe se assemelham aos da lagosta. Além disso, é rico em proteínas e possui muita carne. A pesca acontece o ano todo, porém de janeiro a março é proibido o uso da rede, sendo possível somente a vara. A produção fica principalmente na região, nos pequenos restaurantes na beira do rio.
Outros frutos da pesca são piau, caramatã, pacu e bodó.

PRODUTOR

Pescadores Pedro Oliveira e Gilson Barbosa [Pedrinhas]

Com apenas mil habitantes, Pedrinhas, a 27 km de Petrolina, tem 206 pescadores e vive de peixe e roça de subsistência. A equipe conheceu Pedro Oliveira, 65, presidente da Associação de Pescadores de Pedrinhas, que tem a pesca em sua veia: a família toda é de pescadores, do avô aos filhos.
Mas quem leva a Expedição para a experiência de pesca no São Francisco, de "popopó" — espécie de jangada motorizada — é Gilson Barbosa, o Soma, de 35 anos. É preciso força e técnica para jogar a rede, de forma que não enrole e caia perfeitamente na água. Na primeira tentativa, a multiplicação dos peixes: bodós, piaus, caramatãs, pacus. Em geral, a comercialização dos peixes ocorre entre pescadores e fornecedores, na região de Petrolina.

PRODUTO ▪ DOCE DE LEITE BRANCO ▪ TERROIR

O município de Afrânio se destaca na região pela grande produção de leite. Esse fator contribuiu para o surgimento do doce de leite branco, cuja fabricação, ao que consta, se iniciou nos anos 1930, por doceiras como dona Joaninha e dona Moça. Com o tempo, tornou-se um produto típico local, e surgiram várias fábricas caseiras. O doce de leite branco do Sertão não pode ser comercializado fora do estado, pois não tem SIF. É vendido em calda, barra — com versão acrescida de coco — e creme.

PRODUTOR

Q-Sabor [Fazenda Baixa Bela, Afrânio]

A 12 km de Afrânio se encontra a pequena fazenda Baixa Bela, da marca Q-Sabor, em que Raimundo da Luz, 40 anos, elabora o símbolo do lugar: o doce de leite branco. Ele já representa a segunda geração e fabrica numa pequena cozinha de produção rústica, com capacidade para três grandes tachos, pia e local de esfriamento. Raimundo acorda às 4 horas da manhã e logo sai para a roça para ordenhar as dez vacas, que rendem cerca de 90 litros de leite. Às 7 horas, munido de avental branco, máscara e touca higiênica na cabeça, já está pronto para acender o forno a lenha e mexer o leite constantemente com colheres de pau, adicionando açúcar. Depois de 30 minutos, soltando-se do fundo do tacho, está pronto o doce de leite branco cremoso. Em seguida, Raimundo começa a preparar as barras: engrossa o leite, aquecendo-o quase a ponto de queimar, cozinha-o até atingir o ponto ideal, retira o tacho do fogo e mexe o leite sem parar com a colher, que, depois de frio, é colocado em fôrmas de madeira para esfriar. A iguaria é comprada principalmente por aqueles que param na estrada e já conhecem a produção caseira. É comercializada também nos municípios de Dormentes e Rajada, onde Raimundo tem dois compradores comerciais.

sertão pernambucano

Filé de sirigado grelhado ao molho de uva isabel com banana-prata, macaxeira ao murro com queijo de coalho e ricota, farofa de cebolas crocantes

[Chef Joca Pontes, do restaurante Ponte Nova – Recife, PE]

Rendimento: 8 porções

ingredientes

PEIXE

1,2 kg de filé de sirigado (ou cherne)

MOLHO

1/2 cebola branca cortada em julienne
2 talos de cebolinha picada
Manteiga para refogar
2 bananas-prata
1 colher (sopa) de açúcar
1/2 xícara de vinho branco (100 ml)
500 ml de suco de uva isabel (500 ml)
1/4 de xícara de vinagre de álcool (50 ml)
Sal e pimenta-do-reino a gosto
1 colher (sopa) de farinha de mandioca

MACAXEIRA

2 kg de macaxeira
2 xícaras de ricota ralada (200 g)
1 1/2 xícara de queijo coalho ralado (200 g)
1 dente de alho picado
1 colher (chá) de manteiga

FAROFA

1 cebola branca cortada em julienne
1 colher (sopa) de manteiga sem sal
1 colher (chá) de azeite de dendê
2 xícaras de farinha de mandioca quebradinha (fina) (200 g)
Sal a gosto

MODO DE PREPARO

Peixe 1. Divida o peixe em 8 porções e grelhe dos dois lados. **Molho 1.** Refogue a cebola e a cebolinha na manteiga, adicione a banana em rodelas e o açúcar, depois o vinho branco. **2.** Deixe levantar fervura, adicione o suco de uva e o vinagre, tempere com sal e pimenta. Deixe cozinhar em fogo baixo por 10 minutos. **3.** Adicione a farinha, mexendo bem, e cozinhe por mais 5 minutos. **4.** Triture tudo no liquidificador e passe na peneira. **Macaxeira 1.** Cozinhe a macaxeira descascada, deixando-a em consistência firme. **2.** Retire do fogo, escorra, depois amasse juntando com a ricota, o queijo coalho, o alho e a manteiga. **3.** Unte as mãos com óleo e forme 8 bolinhas. Reserve. **Farofa 1.** Refogue a cebola na manteiga, em fogo baixo, até ficar bem dourada; adicione o azeite de dendê, depois a farinha. **2.** Mantenha por cerca de 10 minutos em fogo baixo, mexendo sempre para não queimar. **3.** Tempere apenas com sal. **Finalização 1.** Sirva o peixe acompanhado do molho de uva, da macaxeira e da farofa.

região metropolitana e capital

Recife desponta como a capital nordestina da gastronomia, abrigando vários restaurantes estrelados, comandados por chefs que pesquisam e usam os inúmeros ingredientes regionais do estado. Com isso, constroem uma nova cozinha nordestina. Entre os expoentes que a Expedição Gastronômica escolheu para prepararem deliciosos pratos estão André Saburó, do Quinta do Futuro, que investe no uso de peixes locais, como o sirigado; o chef Douglas Van der Ley, do Iate Club Cabanga, que pesquisa o uso da rapadura; Joca Pontes, do Ponte Nova, dedica-se a criar pratos com a farinha quebradinha de Glória do Goitá; e Bruno Catão, do Parraxaxá, do Recife, emprega a galinha-d'angola caipira, resultando num belo guisado.

A tradição dos bons estabelecimentos de alimentação vem desde 1882, quando se inaugurou o restaurante Leite, um dos mais antigos do país. De longa data é também a fama da Casa dos Frios, que vende o mais concorrido bolo de rolo, feito de fina massa e recheio de goiabada, um patrimônio pernambucano. Recife nasceu na foz dos rios Capibaribe e Beberibe, em 1548, como um pequeno povoado de pescadores. A formação rochosa de arrecifes, que contornam a orla e tornam as águas calmas e mornas, deu o nome à cidade. Todos querem ficar nos calçadões, apreciando tira-gostos como o caldinho de feijão, o queijo de coalho na brasa, o camarão frito, sucos de frutas da época e água de coco.

Os holandeses, que invadiram Pernambuco em 1630 por causa das riquezas geradas pela cana-de-açúcar, deixaram um legado importante. Nessa época a cidade viveu o esplendor, e foram construídas as primeiras pontes. Atualmente elas cruzam canais e rios, ligando a parte moderna às construções antigas, um verdadeiro museu a céu aberto. A casa em que viveu o sociólogo Gilberto Freyre, de 1841 até sua morte, no bairro de Apipucos, foi transformada em fundação e museu. É um passeio agradável admirar os cômodos, os móveis, os objetos pessoais e a coleção de mais de 40 mil livros do grande autor de *Casa-grande & senzala*. A Fundação Gilberto Freyre abriga também um empório que vende o "conhaque" de pitanga, que o escritor tinha orgulho de servir a seus convidados. É produzido artesanalmente pelos seus herdeiros, uma vez por ano, durante a safra da fruta.

Prédio do Centro Histórico de Recife

Building at the Historical Downtown area, in Recife

CASA DA CASTANHA
CASTANHA EMGROSSO
EA VAREJO TEMPEROS
AG
E DESCARTÁVEIS

MERCADO

Mercado São José

Quem apresentou o Mercado São José à equipe da Expedição Gastronômica foram os chefs Bruno Catão e André Saburó. A primeira coisa a fazer para quem visita o local é tomar um substancioso café da manhã regional, com carne assada com inhame, mandioca com charque e ensopado de frango com cuscuz de milho.

Um dos setores mais importantes é o de frutos do mar e dos ricos peixes do litoral pernambucano, entre os quais está o apreciadíssimo sirigado, da mesma família do cherne e da garoupa. Na parte externa do local funciona uma feira de temperos, com dezenas de boxes de frutas, carnes e artesanato.

O São José é o mercado mais antigo do Recife. Construído em 1871, em estrutura de ferro, foi inspirado no de Grenelle, em Paris. Desde essa época, apresentam-se repentistas no local, que é também um centro de literatura de cordel.

TAPIOQUEIRAS

de Olinda

Ô, Linda! Foi isso que Duarte Coelho, primeiro donatário da capitania de Pernambuco, exclamou ao chegar ao Alto da Sé, em 1535. Ele se encantou com a visão deslumbrante do azul do mar. É nesse mesmo local que diariamente as tapioqueiras oferecem seus quitutes. As ladeiras íngremes feitas de pedra, os mosteiros, as igrejas, os sobrados com balcões mouriscos e fachadas coloniais levaram a Unesco a declarar Olinda, em 1982, Patrimônio Cultural da Humanidade. Muitos artistas plásticos, artesãos e escultores escolheram a cidade para montar ateliês, galerias de arte e antiquários. Olinda ferve no Carnaval, com milhões de foliões divertindo-se nos blocos, ao lado dos bonecos gigantes de papel-machê. No restaurante Oficina do Sabor, o renomado chef César Santos, pioneiro na valorização da cozinha nordestina, serve pratos como o jerimum recheado com camarão ao molho de manga.

do Alto da Sé

Ao cair da tarde, o Alto da Sé, em Olinda, começa a ficar repleto de barraquinhas de tapioca. Há décadas ali se reúne um grupo de mulheres que conhecem o ofício de preparar esse finíssimo quitute herdado das mães. Cuidadosa e muito habilmente, elas peneiram e moldam a goma, colocando a massa numa frigideira aquecida com brasa de carvão. Inventando os mais variados tipos de recheios, como queijo, camarão, charque desfiado com Catupiry ou apenas coco e, no máximo da simplicidade, só com manteiga. Todas deliciosas. "A tapioca é o crepe do brasileiro", diz o chef César Santos, do Oficina do Sabor, em Olinda. Ele é um dos responsáveis pelo registro da tapioca de rua como Patrimônio Imaterial de Olinda. É por essa saborosa razão e por ser um local em que se tem uma bela vista das construções coloniais e do mar que o Alto da Sé é uma das principais atrações turísticas de Olinda.

Sirigado grelhado, servido em molho suave de saquê mirin e shoyu perfumado ao gengibre

[Chef André Saburó Matsumoto, da Taberna Japonesa Quina do Futuro – Recife, PE]

Rendimento: 8 porções

ingredientes

SIRIGADO

600 g de filé de sirigado em cubos
1 colher (sopa) de saquê (10 ml)
Sal e pimenta-do-reino a gosto
6 colheres (sopa) rasas de manteiga sem sal (80 g)
1/2 ramalhete de cebolinha laminada
Flor de sal e tiras de nori

MOLHO

1/3 de xícara de shoyu (60 ml)
1 xícara de saquê mirin (200 ml)
1 1/4 de xícara de água filtrada (240 ml)
1 colher (chá) de glutamato monossódico (2 g)
2 colheres (sopa) de gengibre fresco ralado (30 g)
2/3 de xícara de açúcar cristal (100 g)
1 colher (sopa) de amido de milho (10 g)
100 ml de água filtrada

MODO DE PREPARO

Sirigado 1. Tempere os filés de sirigado com 10 ml de saquê, sal e pimenta. Reserve. **2.** Em uma frigideira quente, adicione a manteiga e os cubos de sirigado. Mexa por cerca de 6 minutos. **3.** Vire-os de um lado para outro, salteando e, antes de apagar o fogo, coloque a cebolinha laminada, salteando mais um pouco. Reserve. **Molho 1.** Em uma caçarola pequena junte o shoyu, o saquê mirin, a água filtrada, o glutamato monossódico, o gengibre fresco ralado e o açúcar cristal. Misture bem todos os ingredientes, até que se dissolva todo o açúcar. **2.** Cozinhe em fogo brando durante 10 minutos. À parte, dissolva o amido de milho na água filtrada e adicione ao molho, sempre mexendo até deixá-lo mais consistente. **Finalização 1.** Arrume o peixe sobre um pouco de molho no prato, junte mais molho por cima e decore com flor de sal e tiras de nori.

paraguai
Z 17
162-001952-3

O ESTADO DO

Ceará

“Além, muito além daquela **serra**, que ainda **azula no horizonte**, nasceu Iracema, a virgem dos **lábios de mel**, que tinha os cabelos mais negros que a asa da graúna, e mais longos que seu **talhe de palmeira**.” Na obra romântica ***Iracema***, o escritor cearense **José de Alencar** conta uma das mais lindas histórias de amor, além de desvendar os encantos naturais do seu estado e dos primeiros habitantes, imortalizados pela bela índia.

Foi no encontro do **rio Mundaú** com o mar que o par romântico Martim e Iracema se conheceu. E até hoje muitos casais se deleitam banhando-se em suas águas. É **tanto mar** que a **jangada** virou símbolo do Ceará. A Expedição Gastronômica não poderia deixar de navegar nessa embarcação típica, rumo às praias paradisíacas, repletas de dunas, coqueirais e falésias de tons coloridos, como **Jericoacoara** e **Canoa Quebrada**. Próximo à costa, a equipe encontrou tesouros como **as salinas de Mossoró**, as mais importantes do Brasil, na **Costa Branca**. A criação de camarão-branco é muito propícia na **Costa Negra**, em Icapuí. No mesmo

Ceará

Ponte do Centro Cultural Dragão do Mar sobre as casas antigas de Fortaleza

Bridge of the Centro Cultural Dragão do Mar over the old houses of Fortaleza

local, um pouco mais afastado, a temperatura quente e a **tecnologia avançada** se unem para a produção de frutas e legumes especiais. Na praia de Redonda, destaca-se a pesca da lagosta.Essa **exuberância** encontra-se também no interior, em lugares como a **Serra de Ibiapaba**, a oeste, em que há um **vale fértil**, com produção de cana-de-açúcar. Por causa disso, na cidade de **Viçosa do Ceará** se fabricam, há gerações, vários tipos de licores artesanais.

O **bioma da Caatinga** também está muito presente no Ceará. Em **Quixadá**, no Sertão Central, predomina a criação de **cabrito** (ou bode). Mais ao sul, no Cariri, **Juazeiro do Norte** é famosa por romarias e peregrinação por **Padre Cícero**. Na mesma região, na cidade de **Assaré**, nasceu Antônio Gonçalves da Silva, o **Patativa do Assaré**, considerado um dos mais importantes representantes da cultura popular nordestina, cujas músicas foram cantadas por **Luiz Gonzaga**. Ele retratou com muita grandeza o povo, a natureza e os contrastes do sertão. E afirmava: “Eu sou brasileiro, filho do Nordeste/, Sou cabra da peste, sou do Ceará”.

costa negra

Com 48 km de extensão, a Costa Negra cearense tem praias paradisíacas, que atraem turistas de todas as partes do mundo. O nome da região vem do aspecto cinza-escuro das águas das praias locais. É um trecho do litoral que vai da foz do rio Aracatimirim, em Torrões, à foz do rio Guriú, em Jijoca de Jericoacoara. Abrange os municípios de Itarema, Acaraú, Cruz e Jijoca de Jericoacoara.

Antiga vila de pescadores, Jericoacoara tornou-se um dos principais destinos visitados do Ceará, graças às marés que sobem e descem com rapidez impressionante, às ondas altas e às águas verdes cristalinas das lagoas, que contrastam com as dunas brancas, onde, ao entardecer, acontece o imperdível espetáculo do pôr do sol. Curtir Jeri, como é carinhosamente chamada, e as outras praias da Costa Negra é um convite para degustar os peixes e camarões locais.

Cidade centenária, com casarios antigos, Acaraú é o principal polo produtor de camarões, com 2.000 hectares de fazendas. Produzidos de maneira ecologicamente correta, os crustáceos representam uma grande economia local.

O Festival Internacional do Camarão da Costa Negra — Grand Shrimp Festival —, na Fazenda Cacimbas, organizado pela Associação dos Carcinicultores da Costa Negra (ACCN), reúne chefs brasileiros e internacionais. Nele há concurso de pratos à base de camarão, cursos e workshops rápidos. Debate-se durante o festival a licença ambiental para a produção de camarão em cativeiro.

Praia tranquila de Acaraú, em Costa Negra, principal polo produtor de camarão

Peaceful beach of Acaraú, in Costa Negra, main area in the production of shrimp

PRODUTO ▪ CAMARÃO ▪ TERROIR

A Costa Negra é muito propícia à criação do versátil camarão-branco (*Litopenaeus vannamei*). Uma conjunção de fatores influencia positivamente a cultura: a proximidade com o mar facilita a chegada da água salina aos viveiros; as grandes extensões de sedimentos cinza-escuros, ricos em nutrientes, que vem do rio Acaraú, tornam o solo costeiro a melhor área biológica para a produção; por fim, as altas temperaturas favorecem o rápido crescimento dos camarões. Os produtores locais se preocupam com o desenvolvimento da região e com a preservação do meio ambiente.

PRODUTOR

Fazenda Bomar [Acaraú]

A propriedade se localiza a 30 minutos do município de Acaraú. Logo na entrada se veem os aerogeradores, uma espécie de cata-vento gigante, responsável pela geração de energia eólica. Numa área de 350 hectares, divididos em três fazendas, a Bomar é uma megaindústria de cultivo de camarão vannamei.

O engenheiro de pesca Diego Apolinário apresenta o local e o processo de produção. Ele começa mostrando os berçários, em que ficam as pós-larvas, estágio posterior a dez dias do estado larval. Esses microcamarões são divididos em seis tanques de 55 litros de água do mar, em que ficam de 15 a 30 dias — é o momento de adaptação ao ambiente e à água. Em seguida, são transferidos para os viveiros e alimentados três vezes ao dia com ração e algas naturais. Ao atingirem o tamanho para a venda, entre 7,5 g e 30 g, os camarões são abatidos por choque térmico, o que mantém suas características físicas. Daí os crustáceos seguem para o beneficiamento. O produto final — que pode ser vendido congelado, fresco ou cozido — atinge 3 mil toneladas anuais, e o principal mercado consumidor é o Rio de Janeiro.

Ceará

icapuí (litoral)

O pequeno município de Icapuí, a 50 km da agitada e badalada Canoa Quebrada, é um reduto de tranquilidade, com muito sol, pouca chuva e a brisa morna e constante do Atlântico. A vista é agraciada pelas piscinas naturais e pelas falésias, que criam um impressionante contorno e um isolamento natural.

Distante 18 km do centro de Icapuí fica a enseada da praia de Redonda, protegida pelo paredão rochoso ponta da Redonda. Nela, durante a maré baixa, se formam pequenas piscinas de água morna, ótimas para relaxar.

É em Icapuí que estão os barcos e as jangadas dos pescadores artesanais de lagosta, que, resistindo bravamente à pesca predatória, vigiam o mar na época da reprodução do crustáceo.

Grande parte da população do município tem a lagosta como fonte de renda, pois a região é uma das maiores produtoras do Ceará. Para fortalecer a cadeia produtiva e consolidar o município na rota turística do litoral, realizam-se o Festival de Lagosta e o Salão Gastronômico, dos quais participam restaurantes, barracas de praia, pousadas e hotéis, que elaboram pratos com a rainha da festa — a lagosta.

Há algum tempo descobriu-se a vocação do semiárido de Icapuí para o cultivo do melão e da melancia. Utilizando tecnologia avançada, a Agrícola Famosa cultiva vegetais com características especiais.

icapuí (litoral)

PRODUTO ▪ FRUTAS E LEGUMES ▪ TERROIR

A região do semiárido do interior de Icapuí é favorável ao cultivo da melancia e do melão, que não suportam pluviosidade acima de 20 milímetros. Assim, as temperaturas quentes quase o ano todo formam uma estufa natural, propiciando amadurecimento rápido e uma constância no grau de açúcar. Aqui, empresas que utilizam tecnologia avançada desenvolvem também plantações de vegetais especiais. "É até melhor do que se fosse um solo mais pesado, mais fértil, pois o adequamos às necessidades do plantio, e cada variedade tem seu segredo", diz Andrei Mamede, da Agrícola Famosa. Outro ponto importante é a irrigação, por meio da abundante água retirada de poços profundos, no subsolo. O que se completa com a habilidade dos agrônomos.

PRODUTOR

Agrícola Famosa [Icapuí]

Propriedade de Luiz Roberto Barcelos e com 20 anos no mercado, a Agrícola Famosa mais parece uma cidade: são 2 mil hectares de fazenda e 7 mil funcionários. É uma das maiores produtoras de hortaliças diversificadas, melão e melancia do país, totalizando 60 mil toneladas de frutas por ano. Hoje 70% da produção é destinada ao mercado externo: Europa, Ásia (China, Cingapura e América Latina, Argentina, Chile e Uruguai). Entre os legumes especiais estão a miniabobrinha, a abobrinha ornamental, o milho doce, a miniberinjela, o tomate-cereja, com baixa acidez, o tomate Nero. "Diziam que era uma loucura produzir aspargos, e estão dando ótimo resultado", diz Mamede. Como a colheita não é mecanizada, os agricultores já fazem uma pré-seleção dos legumes e das frutas. Com infraestrutura de ponta, nos grandes galpões da empresa ocorrem a lavagem e a secagem em máquinas especiais; em seguida, os produtos são embalados e estocados em câmaras frias. A produção segue normas internacionais de segurança alimentar e respeita o meio ambiente.

icapuí (litoral)

PRODUTO ▪ LAGOSTA ▪ TERROIR

Os pescadores da praia de Redonda, no município de Icapuí, famoso por possuir o maior manancial de lagosta do Brasil, são os responsáveis por manter a pesca artesanal desse crustáceo, pois observam a sua época de defeso (fase de reprodução), entre dezembro e junho. Eles vêm juntando forças para fundar uma associação para comercializar diretamente o produto, sem atravessador, pois o preço no mercado internacional é muito mais alto. O pescador de lagosta levanta às 3 horas da madrugada para estar em alto-mar às 4. Foi Tobias Soares da Silva, o Segundo, quem levou a equipe da Expedição Gastronômica para conhecer essa pesca. No primeiro dia, as cangalhas (ou "cangaias"), gaiolas de madeira com revestimento de linhas para captura da lagosta, são depositadas em alto-mar e ficam flutuando, sendo retiradas somente no dia seguinte. O senso de direção dos pescadores é incrível: mesmo sem nenhuma marcação, eles sabem exatamente onde colocaram suas tocas. Tobias explica que há duas maneiras de pescar lagostas: uma sustentável, usando as cangalhas ou manzuás, e outra predatória, que se faz com marambaias, redes de arrasto e compressores de ar para mergulhar. A pesca predatória industrial estava poluindo o oceano e diminuindo o estoque de lagosta a cada ano. Em Redonda, os pescadores se uniram e apelaram para as autoridades, mas o Ibama não fez nada de concreto para inibir essa forma de pesca. Cansados de esperar, os pescadores artesanais agiram por conta própria: começaram a vigiar o mar na época do defeso e criaram uma história de resistência. Mesmo sem saber, são agentes culturais e políticos e conseguem expressar muito bem suas diferenças. Essa comunidade serve de exemplo de outras formas de pensar e agir perfeitamente aplicáveis ao mundo atual.

Ceará

chapada da ibiapaba, região norte

Encravada no Sertão, no norte do Ceará, a Chapada da Ibiapaba é um colírio para os olhos, com sua exuberante vegetação de Mata Atlântica na qual predomina a palmeira de babaçu. Nesse paraíso ecológico, voam livremente aves como gavião-casaca-de-couro, caracará, acauã, quiri-quiri e urubu-rei. Em meio às trilhas podem ser encontrados micos-estrela, macacos-prego, cotias, tamanduás, tatus e várias serpentes. O relevo recortado forma precipícios de rochas calcárias, grutas, cavernas e belas cascatas. Dizem que numa delas — a Bica do Ipu — se banhava a mítica "virgem dos lábios de mel", Iracema.

Nas encostas da chapada fica o Vale do Lambedouro, com águas cristalinas, fontes naturais e rios que deságuam em cachoeiras e fecundam essas terras boas para a cana e seus subprodutos, como a rapadura e o melado. Muitos sertanejos, atraídos pelas boas condições de cultivo, aqui se instalaram, o que resultou em 28 produtores artesanais de cachaça de alambique.

Com mais de 300 anos, Ipiapaba tem muita história, que começou com os índios tabajaras, do ramo tupi. No século XVII, os jesuítas instalaram aqui uma das principais missões do país: o padre Antônio Vieira, numa carta, confirma sua passagem pelo local. A cidade foi declarada Patrimônio Histórico Nacional pelo Iphan.

Acerola
Alfavaca

PRODUTO ▪ LICORES ▪ TERROIR

O município de Viçosa do Ceará está na Chapada da Ibiapaba, que é cercada pelo Vale do Lambedouro, em cujo solo fértil e úmido há a tradição de cultivar cana para produzir cachaça. A aguardente é a base dos licores, que há séculos são confeccionados artesanalmente. Eles vêm da herança portuguesa: as donas de casa o preparam com todo o zelo para recepcionar as visitas. Entre os mais apreciados, comuns em todo o Nordeste, encontram-se os de jenipapo, tangerina, abacaxi e maracujá.

PRODUTOR

Casa dos Licores [Viçosa do Ceará]

Para quem vai a Viçosa, é obrigatória a parada na Casa dos Licores. Com 55 anos de tradição, foi fundada por seu Alfredo e dona Terezinha Miranda. Além dos 72 tipos de licores caseiros, eles produzem 48 sabores de geleia e biscoitos de goma, como o peta. Hoje quem comanda o negócio é a filha Tereza Cristina, que lamenta que a tradição dos licores esteja se perdendo: praticamente só esse estabelecimento faz a bebida.

Seu Alfredo, de 96 anos, recebeu a equipe da Expedição ao som do pífano, instrumento de bambu que lembra uma flauta transversal. Na cozinha, conhecemos o processo de preparação do licor. Primeiro se faz o "mel": para um litro de água, acrescentam-se 700 gramas de açúcar. Na panela de cobre — com a correção necessária para não oxidar —, cozinha-se a mistura até ferver. A cachaça é macerada com ervas (cravo, canela, cidreira e canela de cunhã) e frutas (jenipapo, morango, acerola, baia, guabiraba e pitomba) e, depois, passa por envelhecimento. Há ainda os licores de rosa, leite e chocolate.

Tereza nos deixou provar todos os licores — a única recomendação era não sobrar no copo. A equipe experimentou também os deliciosos biscoitinhos peta, que viciam — é impossível comer um só. O segredo da receita está no óleo de babaçu.

sertão central e quixadá

"Verde, na monotonia cinzenta da paisagem, só algum juazeiro ainda escapou à devastação da rama; mas em geral as pobres árvores apareciam lamentáveis, mostrando os cotos dos galhos como membros amputados e a casca toda raspada em grandes zonas brancas." Assim Rachel de Queiroz descreve tão bem as secas que castigam o semiárido, no livro *O quinze*, marco do regionalismo dos anos 1930. A escritora cearense — a primeira mulher da Academia Brasileira de Letras — viveu grande parte da vida na fazenda Não me Deixes, no distrito de Daniel de Queiroz, a pouco mais de 30 km do centro de Quixadá. A inspiração para escrever veio do povo e das histórias da região.

Boa de garfo e defensora da cozinha regional nordestina, Rachel de Queiroz deixou como legado culinário *O Não me Deixes — suas histórias e sua cozinha*. Na obra, ela relata a vida na fazenda e suas comidas, destacando a preparação, no fogão a lenha, de pratos como paneladas, buchadas, arroz de carneiro, além dos doces feitos em tacho de cobre.

Coberto pela vegetação de Caatinga, o Sertão central abriga desde longa data a pecuária extensiva de ovinos e caprinos. Foi assim, cuidando de pequenos rebanhos, que a figura do vaqueiro se estabeleceu nos arredores de Quixadá. Hoje se destaca o melhoramento genético dos animais.

Se antes o sertão representava certo isolamento, agora Quixadá virou um point do turismo de aventura. Isso por causa das rochas graníticas, que atingem 90 metros de altura e atraem atletas e esportistas do país, que buscam a escalada e o voo livre, como asa-delta e parapente.

sertão central, quixadá

PRODUTO ▪ CABRITO ▪ TERROIR

Foi no século XVII que chegaram os primeiros cabritos à região de Quixadá; após o cruzamento entre diversas espécies, surgiram duas mais resistentes à seca: a moxotó e a canindé. Adaptaram-se muito bem, por causa da alimentação com arbustos nativos do Sertão e leguminosas. Mesmo na época da seca, que castiga o Sertão de julho a novembro, o cabrito não passa perrengue, pois come até as folhas secas que caem. Com o incentivo do governo — que oferece sem custo animais de excelência de padrão racial para cruzar com o rebanho —, o melhoramento genético da ovinocaprinocultura garante maior produtividade e melhor qualidade nos rebanhos.

PRODUTOR

Fazenda Pé de Serra [Quixadá]

A 30 km de Quixadá, em meio à bela paisagem da Caatinga, na serra da Aroeira, encontra-se a fazenda Pé de Serra, do pecuarista Paulo de Holanda, parte da quarta geração ligada à pecuária. Paulo é um profundo conhecedor de ovinos e caprinos. Tem hoje uma criação de 300 cabeças, com várias raças de cabritos, além de carneiros, ovelhas e filhotes, cordeiros — entre eles o Santa Inês, cuja carne tem menos gordura do que os produzidos no Sul do país. São animais belíssimos e muito bem cuidados.

O local mantém um frigorífico em que se processam os cortes comercializados, como linguiça de carneiro, picanha de carneiro e de cabrito e queijo boursin, de cabra, cuja venda é feita no estado. A criação de ovelhas e cabras não gera lucro somente para os frigoríficos. Holanda e sua esposa, Everani, criaram a Associação Pé na Serra, em que os artesãos produzem peças com o couro dos animais, como tapetes, chapéus, sandálias, arreios para cavalo. O local abriga um restaurante, onde a equipe da Expedição se fartou com receitas como a costeleta de carneiro, o baião de dois e uma cocada cremosa quente.

fortaleza e região metropolitana

Passar uma tarde na praia de Iracema mostra por que Fortaleza é considerada a Terra do Sol: os tons alaranjados do fim do dia são apreciados o ano inteiro, num verão constante. Com tanto calor, a capital cearense fervilha a semana toda, inclusive na segunda-feira, dançando forró agarradinho e varando a noite a todo vapor.

A equipe da Expedição Gastronômica entrou nessa atmosfera contagiante, começando com um passeio pelos calçadões, onde estão as megabarracas, principalmente na praia do Futuro, em que o must é o pargo no sal grosso assado na brasa. Quinta é o dia do caranguejo: os convivas degustam a famosa caranguejada, servida com molho especial e deliciosa farofa. Outro carro-chefe é a lagosta, muito acessível em Fortaleza: servida temperada com sal, com creme de coco e na carcaça ao forno.

A capital tem muitos restaurantes renomados, tanto de cozinha contemporânea quanto regional, como o Colher de Pau, bom lugar para apreciar uma peixada cearense, em panela de barro. Para degustar uma boa carne local, a pedida é o restaurante Moana, com receitas como carré de cordeiro grelhado. Para quem gosta de peixe e frutos do mar, a dica é o risoto de sirigado ou de lagosta do Villa Alexandrini. Os bons produtos cearenses podem ser garimpados no Mercado São Sebastião.

Na praia de Mucuripe, cercada de coqueiros, é relaxante passear ou observar as pessoas nas jangadas e os pescadores voltando com os barcos repletos dos frutos do mar, que abastecem o Mercado de Peixe da Beira-Mar. O local é um ponto de partida para conhecer as outras belas praias, com areia branca e águas muito azuis.

Quase todos os que vão a Fortaleza querem conhecer o Beach Park, a 29 km da capital, um dos maiores parques aquáticos do Brasil. Nos arredores fica Maranguape, onde está o Museu da Cachaça, cuja construção data de meados do século XIX. É mantido pela família Telles de Menezes, fundadora da Ypióca.

Fim do dia, com tons alaranjados, na praia do Meireles

End of the day, in orange hues, at Meireles beach

Mawé
Spirro
Azeite de Dendê
Guaraná
Catuaba

MERCADO

O Mercado São Sebastião

Era cedo, mas a confusão típica dos grandes mercados já havia começado no São Sebastião, em Fortaleza; cores e cheiros se misturavam: frutas, legumes, carnes, peixes, castanhas de caju, rapadura, mel de abelha de Jandaíra, no Rio Grande do Norte, queijo de coalho e queijo-manteiga. Além de comidas típicas, lanches, carnes, frios e artesanato. Foi o chef Bernard Twardy que desfilou com a equipe da Expedição Gastronômica por entre esse maravilhoso caos. Esse imenso local, com quase 500 boxes, tem três grandes galpões de dois andares cada um. Vale a pena tomar por lá o típico café nordestino, bem substancioso, com cozido de intestino, bucho, carnes, arroz e cuscuz. Benza a Deus!
Há 20 anos no Ceará, Bernard conta que antes não havia muitos fornecedores. Atualmente, no mercado, já é possível encontrar ervas e legumes variados.

Ceará

fortaleza e região metropolitana

Carré de cordeiro

[Chef Eduardo Sisi, do restaurante Moana – Fortaleza, CE]

Rendimento: 2 porções

ingredientes

330 g de carré de cordeiro

1 colher (sopa) de óleo de gergelim (10 ml)

1/4 de xícara de shoyu (50 ml)

1/4 de xícara de bacon (50 g)

100 g de linguiça de cordeiro

4 colheres (sopa) rasas de manteiga (50 g)

1 ovo

3/4 de xícara de farinha branca peneirada (80 g)

1/2 xícara de arroz (100 g) já cozido

MODO DE PREPARO

1. Tempere o carré de cordeiro com o óleo de gergelim e o shoyu. Em seguida, coloque para grelhar. **2.** Em outra frigideira, frite o bacon e a linguiça na manteiga. **3.** Acrescente o ovo e a farinha. **Finalização 1.** No centro do prato coloque a farofa e, ao redor, o carré de cordeiro grelhado. Sirva com arroz à parte.

Ceará

fortaleza e região metropolitana

Filé de sol com cebola roxa e tangerina caipira

[Chef Bernard Twardy, chef corporativo do complexo turístico Beach Park – Fortaleza, CE]

Rendimento: 6 porções

ingredientes

1 peça de filé-mignon de 1 kg, preparado 48 horas antes do uso

1 colher (chá) de sal grosso levemente processado no liquidificador (3 g)

MOLHO

6 tangerinas caipiras, sem casca nem pele (ou 300 ml de polpa da fruta)

2 cebolas roxas médias cortadas em rodelas finas (300 g)

4 colheres (sopa) de manteiga da terra

3 abobrinhas verdes

3 abobrinhas amarelas

3/4 de xícara de azeite de oliva (150 ml)

500 g minitomates italianos

1 cabeça inteira de alho cortada ao meio horizontalmente (guarde a parte do fundo inteira e solte os dentes da parte superior)

3 galhos de tomilho fresco

1 colher (sopa) de rapadura picada fino

MODO DE PREPARO

Filé-mignon (48 horas antes) **1.** Corte as pontas do filé. Deixe com 1 kg e faça 2 lombos. **2.** Coloque os lombos em um recipiente sem folga. **3.** Tempere com o sal, esfregando por igual. **4.** Leve a carne para a geladeira, coberta com papel-filme. **5.** Vire os lombos a cada 3 horas; eles soltarão sangue e formarão uma salmoura. **6.** Ao completar o ciclo de 24 horas, remova o excesso de salmoura e leve os lombos para o sol por 4 horas, virando-os de hora em hora. Proteja a carne com uma tela de mosquiteiro. **7.** Depois disso envolva cada lombo em papel-filme para acentuar o formato redondo, fazendo nós nas extremidades. Reserve na geladeira até o dia seguinte. **Molho 1.** Passe os gomos de tangerina, no processador. Leve o suco ao fogo e deixe reduzir pela metade. **2.** Refogue a cebola com a manteiga deixando apenas suar. Reserve. **3.** Junte a cebola à redução do suco e equilibre o sal. Reserve. **4.** Corte as abobrinhas em gomos, retirando a polpa. Pique a polpa e reserve. Refogue os gomos em fogo alto até ficarem corados, porém firmes. Enxugue e guarde no calor. **5.** Em uma panela alta e larga, aqueça o azeite e junte os tomates inteiros, o alho, o tomilho, a rapadura e a abobrinha picada. Mexa até que a metade dos tomates se desfaça, verifique o sal depois de 5 minutos e no final da cocção (15 minutos). Passe por uma peneira para tirar o excesso de óleo. Reserve no calor. **6.** Reaqueça o molho de tangerina. **7.** Pincele uma grelha de ferro com óleo e, quando aquecer grelhe os lombos, vire de cada lado depois de 2 minutos e finalize cruzando a linha marcada na carne para obter um quadriculado bonito. **Finalização 1.** Corte os lombos em medalhões de 1 cm, montando no prato na sequência do corte. **2.** Sobreponha tiras de abobrinhas de três em três. **3.** Acompanhe com uma colher de tomate de cada lado e com o molho de tangerina.

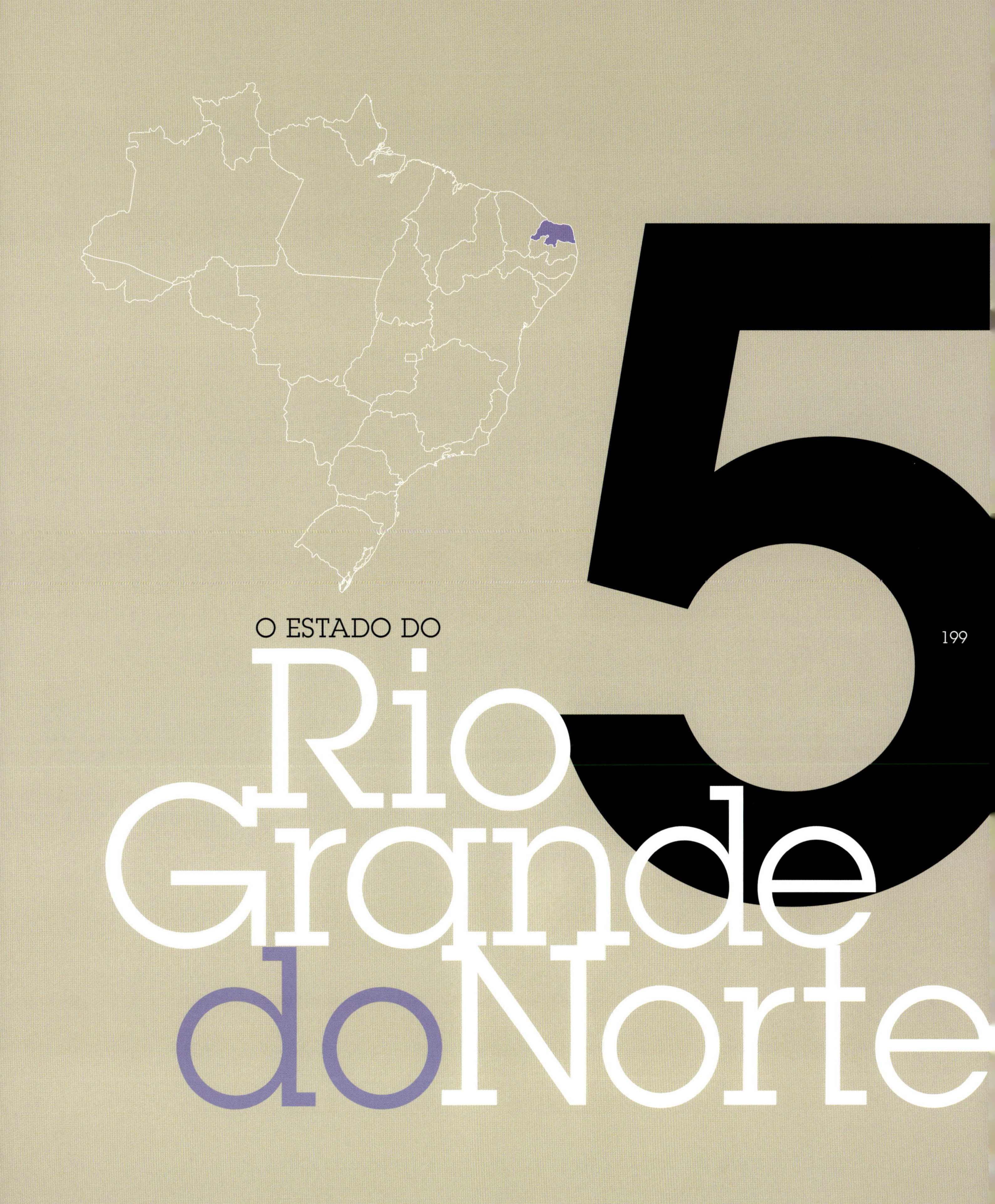

5
O ESTADO DO Rio Grande do Norte

O Rio Grande do Norte é o único estado em que **o Sertão entra no mar**. Quase 90% do território é parte da **Caatinga**. "É um erro considerar esse bioma pobre em biodiversidade vegetal e animal", enfatiza a pesquisadora e chef Adriana Lucena. "É **semiárido**, e não semideserto!", completa.

No período chuvoso a Caatinga surpreende: fica **verde**, **florida** e, na estiagem, **hiberna**, tornando-se **seca**, de aparência parda, mas não está morta. "Quando a chuva retorna, ela ressuscita", elucida a chef.

É bom lembrar que **o sertanejo é um povo acolhedor** e dono de história, cultura e **gastronomia ricas**. Durante mais de três séculos, a pecuária era a atividade preponderante, de onde surgiu o hábito dos queijos de coalho, manteiga e carne de sol. A cidade de **Caicó**, no sertão do Seridó, é considerada um dos lugares em que se faz a melhor **carne de sol**. Os rios locais formam **açudes**, e deles se retira uma **preciosidade**, as ovas de curimatã. "Pouco divulgada, a **gastronomia do Sertão** é uma das mais ricas e variadas do Brasil, abrigando ainda **técnicas tradicionais de produção**", comenta Adriana.

Rio Grande do Norte

Na praia de Diogo Lopes, na Ponta do Tubarão, os pescadores vivem da pesca e da cata do vôngole

At Diogo Lopes beach, in Ponta do Tubarão, the fishermen live of fishing and clams

Praia da Pipa, cenário paradisíaco no Rio Grande do Norte

Pipa beach, paradisiac scenery in Rio Grande do Norte

Em **Mato Grande**, em pleno semiárido, Adriana Lucena apresentou à Expedição a delicadeza do **mel das abelhas** nativas de Jandaíra. Já na Serra do Mel, no oeste potiguar, famílias inteiras se dedicam ao **caju** e a sua **castanha**, num bem-sucedido projeto sustentável. No fértil **Vale do Apodi**, é produzido o **arroz vermelho**, base da alimentação do povo.

Com belo cenário de **dunas e mangues**, o polo da **Costa Branca**, ao norte, é rico em concentração de **vôngoles**. Próximo ao litoral, em **Mossoró**, é extraído um dos ingredientes mais cobiçados da alta cozinha, a **flor de sal**.

Na praia de São Miguel do Gostoso, a chef Gabriela Salles mostrou à Expedição a pequena vila de pescadores e a **variedade de peixes** encontrados. Ainda na costa, as **ostras orgânicas** são o destaque de Tibau do Sul.

Nasceu e viveu em Natal, o **grande historiador** e folclorista **Luís da Câmara Cascudo**, autor do livro ***História da alimentação no Brasil***. São muitos os encantos da capital, entre eles o **Mercado da Redinha**, em que se encontra uma mostra da **cozinha norte-rio-grandense**.

mato grande

O clima semiárido domina na microrregião do Mato Grande. Chove pouco, resultando numa vegetação mais seca, de Caatinga, com predominância de cactáceas e árvores como o umbuzeiro e a aroeira.

Uma das maiores biodiversidades brasileiras de insetos está nessa localidade, o que inclui as abelhas nativas sem ferrão, que produzem mel.

Na cidade de Jandaíra, o pequeno agricultor, que durante décadas viveu do algodão, manteve a criação de abelhas e a comercialização do mel ligadas aos costumes tradicionais. Era lá que se encontrava o maior número de colmeias naturais. A principal espécie criada é a jandaíra, que, de tão importante, emprestou o nome ao município.

Com o objetivo de incentivar as famílias de Jandaíra e arredores a usar novas tecnologias de produção de mel, foi criada a Associação de Jovens Agroecologistas Amigos do Povoado do Cabeço, que tem como um dos responsáveis o engenheiro agrônomo Júnior Queirós Câmara. Uma das iniciativas da associação é o manejo sustentável, para que as abelhas se multipliquem, aumentando o plantel, sem tirá-las da natureza nem destruir o meio ambiente. Utilizam-se caixas modernas de madeira de reflorestamento importada.

Com financiamento da Fundação Slow Food para a Biodiversidade, que defende o alimento bom, limpo e justo, realizou-se um curso de capacitação na região de Vêneto, na Itália. Em seguida, construiu-se em Jandaíra uma tenda denominada Meliponário Didático Móvel.

A chef Adriana Lucena, do sítio Quinta da Aroeira, é uma pesquisadora que incentiva o desenvolvimento econômico ligado às jandaíras. Ela faz parte da coordenação da Slow Food no Rio Grande do Norte.

Francisco Melo e Júnior Queirós Câmara, da Comunidade Rural do Cabeço, cultivam em caixas as abelhas sem ferrão

Francisco Melo and Junior Queiros Câmara, from Cabeço Rural Community, cultivate stingless bees in boxes

PRODUTO ▪ ABELHAS SEM FERRÃO ▪ TERROIR

Índios e caboclos já conhecem e manipulam há centenas de anos o mel das abelhas jandaíras nativas sem ferrão (meliponíneas), que, segundo a crença popular, cura gripes e resfriados. É apreciado pelo aroma e sabor, mais suave, delicado, porém com acidez mais acentuada. O mel, de cor mais clara, costuma ser bem fluido, pois essas abelhas — responsáveis, aliás, pela polinização das espécies vegetais da Caatinga — são as primeiras a sair de madrugada, colhendo o orvalho com as flores brancas da Caatinga. Por todas essas razões se incentiva na região o cultivo das abelhas em caixas, em seu próprio hábitat, evitando a ação dos chamados meleiros, que derrubam árvores como a amburana — em que elas gostam de fazer suas colmeias —, para extrair o mel.

PRODUTOR

Quinta das Aroeiras [Jandaíra, RN]

Para conhecer a produção sustentável das jandaíras, a Expedição Gastronômica Brasileira foi até o sítio Quinta das Aroeiras, a 10 km da sede do município de Jandaíra, na comunidade rural do Cabeço. A chef potiguar Adriana Lucena, a proprietária, deu apoio à equipe durante toda a viagem ao Rio Grande do Norte. Advogada com mestrado em políticas agrícolas, ela largou tudo, comprou um sítio com uma casa de taipa e se dedica à produção de receitas com produtos regionais da Caatinga. Em sua propriedade, também tem caixas de abelhas sem ferrão. "Para a gastronomia, esse mel tem um potencial grande por sua delicadeza", diz Adriana. A chef — especialista em molhos de pimenta incríveis e em geleias de frutas com toque picante, que comercializa — faz sorvete com mel de jandaíra e pimenta, chamado Eros e Afrodite. Na cozinha com fogão a lenha, serve um café delicioso com cuscuz individual e ovo caipira do galinheiro da propriedade, além de biscoitos feitos com a manteiga do Sertão.

costa branca e oeste potiguar

As imensas dunas e pirâmides de sal são o cartão-postal do roteiro turístico da Costa Branca. Começa no litoral de São Miguel do Gostoso até Tibau, na divisa com o Ceará. Nesse trecho, a paisagem é marcante entre a Caatinga, com árvores como mandacaru, quixadeira, carnaúba, catupira e pereiro, em contraste com mangues, rios e coqueiros espalhados ao longo das grandes enseadas de praias, muitas delas selvagens.

Na praia de Diogo Lopes, que faz parte do município de Macau, encontra-se uma comunidade de pescadores que vivem da pesca e da cata do vôngole e têm consciência da importância da preservação do meio ambiente, mantendo a Reserva de Desenvolvimento Sustentável Estadual Ponta do Tubarão.

Para chegar às famosas salinas de Mossoró, passa-se pela Ponta do Mel, uma praia de cenário exuberante e único, em que a vegetação típica do Sertão, com os característicos cactos, se encontra com o azul do mar e sua paisagem de dunas brancas e falésias avermelhadas. Um pouco afastada do litoral, Mossoró se esparrama em montanhas de sal. Com tanta abundância, é a maior produtora de sal marinho do país, cuja exploração se iniciou no século XIX. Atualmente desenvolve uma iguaria para chefs e gourmets, a flor de sal, com fama no Brasil e no exterior.

No oeste potiguar, já no interior, fica o Vale do Apodi, importante polo de cultivo do arroz vermelho. A produção é feita por pequenos agricultores, reunidos em cooperativas, o que trouxe melhoria na vida da população e garantiu a preservação da cultura do arroz no Vale do Apodi.

Grande celeiro do caju e de sua castanha é a Serra do Mel, localizada na microrregião de Açu-Mossoró, no oeste do estado. Isso ocorreu graças ao cultivo familiar do cajueiro e à união cooperativista — um projeto bem-sucedido que impulsionou a exportação da castanha.

PRODUTO ▪ VÔNGOLE ▪ TERROIR

O vôngole é conhecido no litoral do Rio Grande do Norte como búzio. A situação geográfica da praia de Diogo Lopes, Costa Branca — formada por um braço de mar e uma restinga, separados pelo manguezal; em seguida vem o mar aberto —, propicia a concentração desses mariscos. O clima seco da Caatinga, com temperatura média de 36 °C, com cerca de 400 mm de chuva só entre janeiro e maio, também colabora. “A melhor época para a cata do búzio é a da seca”, diz Luiz Ribeiro da Silva, presidente da Cooperativa de Beneficiamento de Pescado Costa do Tubarão (Coopescat) e membro do conselho da Reserva RDS Estadual Ponta do Tubarão, da qual a região faz parte. Os moradores gostam de fazer receitas do marisco com arroz, omeletes e tortas ou, ainda, cozinhá-lo com a própria casca e temperos.

PRODUTOR

Recanto do Charéu [Diogo Lopes, Costa Branca]

Na praia de Diogo Lopes encontra-se uma das comunidades mais ativas na pesca e na cata do marisco, que faz parte da Associação dos Pescadores do Recanto do Charéu. Os mariscos são encontrados em diversos trechos da praia, e a alguns lugares é preciso ir de barco. A equipe da Expedição acompanhou um dia de trabalho de José Hermínio e sua esposa, que são marisqueiros há 12 anos. As famílias estão envolvidas: fazem o cozimento, retiram a casca, ensacam e congelam. Para obter um quilo de vôngole limpo, são necessários 40 quilos dele com casca. Um trabalho sem fim... Vendem-no a R$ 6 o quilo para o comércio interno ou para atravessadores.

costa branca e oeste potiguar

PRODUTO ▪ FLOR DE SAL ▪ TERROIR

As salinas de Mossoró se localizam na várzea estuária dos rios Mossoró e do Carmo, inundada pelas águas do mar e pelas águas das enchentes dos rios. Dessa forma, quando cessam as chuvas, há formações de salinas naturais a 35 km do litoral, aonde chegam as águas do mar. O clima predominante em Mossoró é semiárido quente, com temperaturas entre 24 °C e 35 °C, o que facilita a evaporação. Completam as condições favoráveis para a cristalização e colheita do sal o baixo teor de umidade do ar, o solo impermeável e os fortes ventos. Recentemente, a região começou a investir na produção da flor de sal, que se constitui dos cristais colhidos na camada superficial das salinas, cujo processo de extração é totalmente artesanal. Começa com a captação da água do mar, que é bombeada para diversos tanques cristalizadores, onde ocorre a precipitação da flor de sal. Nesse momento ela é colhida manualmente, com cuidado, por uma espécie de escumadeira, e levada para secar nos balaios expostos ao sol. Depois de passarem por análises, elas são embaladas. Como não é beneficiada, a flor de sal mantém os nutrientes da água do mar, como o magnésio e o potássio.

PRODUTOR

Cimsal [Mossoró]

Criada em 1974, a empresa familiar Cimsal representa a terceira maior salina do Brasil, com 510 funcionários e uma produção de 600 toneladas/ano. Desde 2006, é pioneira no país na extração da flor de sal das salinas de Mossoró. A época de produção é de julho a dezembro, quando não chove. Para produzir 1 kg de flor de sal, são necessários 80 kg de sal marinho bruto. Seu uso dá um toque especial à finalização dos pratos. É uma iguaria gastronômica obrigatória na mesa de quem quer comer bem. Roberto de Freitas Fialho Neto, gerente de marketing da Cimsal, acompanhou a visita da equipe da Expedição Gastronômica Brasileira.

cimsal

PRODUTO ▪ CAJU ▪ TERROIR

Típico da região, o cajueiro chega a 20 metros de altura e adapta-se bem a altas temperaturas, em torno de 30 °C, e à intensa luminosidade. A Serra do Mel é a principal região de caju no Rio Grande do Norte, com maior área plantada. A tradição do cultivo estimulou a economia familiar, voltada para a produção artesanal de amêndoas e a formação de cooperativas, beneficiando o pequeno produtor. "Antes vendíamos *in natura* para a grande indústria", diz Terezinha Maria de Oliveira Medeiros, presidente da Coopercaju. "Com a cooperativa, as famílias obtiveram um ganho de 100%." Nas plantações, entre um cajueiro e outro, cultivam-se feijão, mandioca, melancia, gergelim e, nas propriedades, se criam ovelha e vaca para tirar o leite, que ajudam na subsistência. A polpa de caju e a amêndoa têm alto valor nutritivo e são usadas em farofas, biscoitos, pães e tortas.

PRODUTOR

Coopercaju [Serra do Mel, Assu Mossoró]

Criada em 1991, a cooperativa cultiva e beneficia o caju e seus derivados. É certificada pelo IBD e pelo FLO, órgão relacionado ao comércio justo, que respeita as relações de trabalho e a distribuição dos lucros. Cerca de 80% da renda vai para os mais de cem associados. Terezinha mostrou as instalações à Expedição e explicou o beneficiamento: "Chama-se castanha enquanto está com a casca verde, in natura*; torrada, é amêndoa de caju". Antes de as castanhas chegarem à cooperativa, os associados as beneficiam. O produtor colhe, põe ao sol para secar, cozinha previamente em banho-maria num recipiente a vapor, retira a casca com um equipamento que evita a quebra da amêndoa e extrai a película em estufas de aço. Leva o produto para a cooperativa, que faz a classificação manualmente e o põe na estufa de esterilização. Hoje 70% da produção é exportada para Suíça, Itália e Áustria.*

costa branca e oeste potiguar

PRODUTO ▪ ARROZ VERMELHO ▪ TERROIR

A mesa sertaneja do Rio Grande do Norte e da Paraíba tem como alimento tradicional do cotidiano o arroz da terra ou arroz vermelho, e, nos dias de festa, prepara-se o arroz-doce como sobremesa, com uma pitada de canela. O arroz vermelho (*Oryza sativa Linn.*) chegou ao Brasil via Portugal no século XVI. Na maior parte das regiões, ele foi preterido pela preferência da Coroa pelo arroz branco. Resistiu como cultura no semiárido, nos vales férteis dos rios Piancó (PB) e Apodi (RN). Segundo a pesquisadora e chef Adriana Lucena, "é um cultivo de agricultura familiar feito durante a estação chuvosa (de janeiro a março), em planícies alagadas; é colhido manualmente e seco ao sol". Para a chef, a longa tradição no cultivo, o engajamento dos produtores locais (do assentamento Lagoa do Saco, zona rural de Felipe Guerra, a 351 km da capital) e as condições de solo e clima convergem para o processo de revitalização da cultura do arroz vermelho no estado.

PRODUTOR

Associação dos Produtores de Arroz do Vale do Apodi [Felipe Guerra]

Para conhecer o especial arroz vermelho ou arroz da terra, a Expedição Gastronômica Brasileira foi a Felipe Guerra, no Vale do Apodi. Visitou a plantação de Rildo Souza de Góis, agricultor desde pequeno. Ele utiliza uma sementeira e depois de 20 dias faz o transplante. Rildo e outros pequenos produtores formam a Associação Lagoa do Saco, com a finalidade de fazer crescer e desenvolver a produção do arroz, de forma sustentável, gerando renda aos cooperados. Durante o ano, produzem entre 5 mil a 10 mil quilos de arroz, vendido na casca, em sacos de 115 quilos, ou beneficiado, por quilo. Consumido na sua forma original, tem muita vitamina, como ferro e zinco, e gosto intenso. Por causa do diferencial desse arroz, a demanda está crescendo entre os restaurantes localizados nos grandes centros consumidores do país, como São Paulo, Rio de Janeiro e Brasília.

Produção sustentável de arroz vermelho de Rildo Souza de Góis, no Vale do Apodi

Sustainable production of red rice of Rildo Souza de Góis, in Vale do Apodi

Filé-mignon de sol ao béarnaise de manteiga de garrafa e aroeira

[Chef Walter Dantas, do restaurante Quintal da Villa – Currais Novos, RN]

Rendimento: 1 porção

ingredientes

ARROZ DE LEITE DA TERRA

- *1 xícara de arroz da terra ou arroz vermelho*
- *2 colheres (sopa) de manteiga de garrafa*
- *1/2 cebola roxa picada*
- *1 e 1/2 xícara de água fervente*
- *2 xícaras de leite*
- *Sal a gosto*

BÉARNAISE

- *2 colheres (sopa) de vinagre*
- *2 colheres (sopa) de água*
- *2 colheres (sopa) de folhas de coentro fresco*
- *1 cebola média picadinha*
- *10 grãos de aroeira*
- *3 gemas de ovo do tipo jumbo*
- *1/2 xícara de manteiga de garrafa (100 g)*
- *1/2 xícara de vinho branco temperado com pimenta-do-reino a gosto (100 ml)*
- *10 grãos de aroeira, uma folha de coentro e duas pontas de folha de cebolinha para decorar*
- *Sal a gosto*

FILÉ-MIGNON DE SOL

- *250 g de filé-mignon fresco*
- *Sal grosso*
- *Manteiga de garrafa*

MODO DE PREPARO

Arroz de leite da terra 1. Lave bem o arroz várias vezes e reserve. **2.** Em uma panela, esquente a manteiga de garrafa e refogue a cebola roxa até murchar. Depois refogue o arroz e junte a água fervente. Abaixe o fogo. **3.** Quando o arroz estiver quase seco, adicione o leite e deixe-o reduzir em fogo baixo até o ponto de risoto. Reserve. **Béarnaise 1.** Coloque o vinagre, a água, o coentro, a cebola e os grãos de aroeira numa panela. Ferva até diminuir pela metade. **2.** Retire, coe e deixe esfriar. **3.** Bata as gemas com uma colher de água e peneire. **4.** Junte as gemas à manteiga de garrafa e ao vinho branco temperado com pimenta. **5.** Leve ao fogo em banho-maria, mexendo sempre até engrossar. Tempere com sal. Reserve. **Filé-mignon de sol 1.** Espalhe sal grosso em todo o filé e deixe-o no sereno ou na geladeira por seis dias, virando sempre e retirando a salmoura que se soltará. Corte o filé em tornedor. **2.** Grelhe o filé-mignon em manteiga de garrafa. **Finalização 1.** Coloque no prato o arroz de leite da terra. Acomode o filé grelhado por cima. Sobre o filé, acrescente a béarnaise de manteiga e a aroeira. **2.** Decore com os grãos de aroeira, uma folha de coentro e duas pontas de folha de cebolinha.

Rio Grande do Norte
costa branca e oeste potiguar

Camarão-papa-jerimum

[Chef Nívia Pedrosa, do restaurante Cook & Luxo – Natal, RN]

Rendimento: 1 porção

ingredientes

REDUZIDO DE CAJU

6 cajus lavados e cortados em 8 pedaços
Água suficiente para cozinhá-los lentamente
Vinho do Porto o quanto baste

PURÊ DE JERIMUM

1 xícara de jerimum (200 g)
2 xícaras de queijo coalho defumado ralado (200 g)
1/4 de xícara de nata fresca (40 g)

CAMARÃO

8 camarões-pistola com casca limpos
suco de 1/2 limão
Flor de sal
1 dente de alho picadinho
2 colheres (sopa) de castanha de caju triturada
2 colheres (sopa) de nata fresca
Salsa picada a gosto
Chips de coco fresco

MODO DE PREPARO

Reduzido de caju 1. Cozinhe os cajus até ficarem bem moles. **2.** Acrescente vinho do Porto e deixe reduzir em fogo brando. **3.** Coe o caldo e reserve. **Purê de jerimum 1.** Cozinhe o jerimum no micro-ondas por 9 segundos, mexa e deixe cozinhar por mais 6 segundos. **2.** Amasse-o e incorpore o queijo e a nata. **Camarão 1.** Lave os camarões e seque-os um a um. **2.** Coloque-os em uma frigideira previamente aquecida. **3.** Quando o lado do camarão que estiver em contato com o fundo da frigideira ficar rosado, regue com suco de limão, acrescente flor de sal, o alho, a castanha triturada, a nata e salsa finamente picada. **Finalização 1.** No centro do prato, coloque o purê de jerimum. Ladeie com os camarões em pé. Decore com chips de coco fresco feitos no micro-ondas e com o reduzido de caju e castanhas de caju picadas.

Moqueca moderna

[Chef Gabriela Sales, do restaurante Aquarela Brasilis — Natal, RN]

Rendimento: 1 porção

ingredientes

MOQUECA DE VÔNGOLE

1 colher (sopa) de cebola em brunoise
1 colher (sopa) de azeite de dendê
1 tomate concassé
100 g de vôngole
200 ml de leite de coco fresco
Pimenta-dedo-de-moça a gosto
Sal a gosto

PIRÃO

Caldo do cozimento dos vôngoles
1/4 de xícara de farinha de mandioca (40 g)

PEIXE

Sal a gosto
200 g de filé de camurim (robalo)
Mix de pimentas a gosto (pimenta rosa/aroeira, pimenta-branca, pimenta-do-reino e pimenta-da-jamaica)
1 fio de azeite de oliva

LEGUMES

1 batata pequena
Sal a gosto
1/2 cenoura pequena
1 fio de azeite de oliva
1 dente de alho em hacher (picado)
Salsinha a gosto

FINALIZAÇÃO

Cebolinha cortada em serpentina
1 flor de pau-brasil
1 vôngole na concha
1 raiz de cebolinha frita em imersão

MODO DE PREPARO

Moqueca de vôngole 1. Refogue a cebola no azeite de dendê, e junte o tomate e os vôngoles. Em seguida, o leite de coco, pimenta e sal e deixe cozinhando por 5 minutos. **2.** Coe o caldo em um chinois e reserve. Reserve também os vôngoles. **Pirão 1.** Coloque o caldo para ferver. **2.** Durante a fervura adicione em forma de chuva a farinha de mandioca peneirada e continue mexendo. Quando espessar, estará pronto. **Peixe 1.** Tempere o peixe com sal e o mix de pimentas. **2.** Regue com um fio de azeite e sele o peixe dos dois lados em fogo alto, de preferência em uma panela wok. **3.** Baixe o fogo, tampe a wok e deixe por 3 minutos. **Legumes 1.** Descasque a batata, corte em cruz e cozinhe em água e sal, até que fique ao dente. **2.** Branqueie a cenoura cortada em julienne. **3.** Refogue os legumes com o azeite e o alho. **4.** Junte salsinha e tire do fogo. **Finalização 1.** Em um prato branco retangular, faça uma cama com os legumes em uma das extremidades e deite o filé de camurim. Por cima, disponha os vôngoles. Em seguida, a cebolinha em serpentina e a flor de pau-brasil. Na lateral, coloque o pirão, o vôngole na concha e a raiz de cebolinha frita em imersão.

Rio Grande do Norte

sertão do seridó

Cidades pacatas e povo acolhedor, muito ligado à sua cultura e religiosidade. Assim é o Seridó, que ainda abriga ofícios antigos, como benzedeiras, parteiras e vaqueiros. Conhecida como a capital dos bordados, Caicó preserva a arte das rendeiras, de cujas mãos saem preciosidades como os pontos em estilo Richelieu.

Entre as principais atividades econômicas dessa cidade estão o algodão e a pecuária. Destacam-se pequenas produções, em família, de queijo de coalho e de manteiga, e outros se dedicam à carne de sol, que podem ser adquiridas nas mercearias e degustadas nos restaurantes e bares locais, sempre acompanhadas da macaxeira (mandioca).

A presença do rio Seridó, que banha parte da região, fez com que se formassem inúmeros açudes, entre eles o Riacho dos Santos, em Caicó, onde é pescado o curimatã, do qual se retira uma iguaria sertaneja: as ovas. Lá existe uma comunidade que respeita a natureza, preservando o defeso do peixe. Há muitos motivos para ir a Caicó, que fazem jus à música: "Ó, mana, deixa eu ir/ ó, mana, eu vou só/ ó, mana, deixa eu ir/ para o sertão do Caicó".

Em Currais Novos, também de tradição pecuária, a Expedição Gastronômica encontrou o chef Walter Dantas, proprietário do Quintal da Vila, e a mãe, dona Suetônia, cozinheira há muitos anos. O restaurante está localizado no centro da cidade, numa espécie de galeria que reúne moda, brechó e gastronomia, e prepara pratos como o filé alto de carne de sol com manteiga do sertão e coentro.

Pescador Francisco mostra os curimatãs retirados do açude Riacho dos Santos, no Seridó

Fisherman Francisco shows curimatãs removed from the Riacho dos Santos reservoir, in Seridó

PRODUTO ▪ CURIMATÃ ▪ TERROIR

O curimatã é um peixe nativo dos rios do Seridó, região com grande número de açudes, propícios para o desenvolvimento desse pescado. Conhecido como papa-terra, ele se alimenta de restos de micro-organismos no fundo dos rios, por isso seu gosto terroso característico. A espécie encontrada no local é a mais comum, pesando entre 600 gramas a 1 quilo. Tradicionalmente, o maior valor é dado às suas ovas, conhecidas no estado como "caviar do sertão". Com elas se preparam moquecas, bolinhos fritos e farofas. José Francisco da Silva, educador de beneficiamento de pescados, ligado ao governo e à Universidade Federal do Rio Grande do Norte (UFRN), ensina a população a preparar pratos aproveitando todo o peixe, como curimatã cozido com a ova e filé à milanesa. "Quando o peixe é pequeno, muitos costumam retirar a ova e jogar fora o peixe", conta Fátima Macedo, chefe da estação de piscicultura local. "Incentivamos o aproveitamento integral."

PRODUTOR

Açude Riacho dos Santos [Caicó]

O curimatã comum é encontrado em abundância nos açudes de Caicó, e suas ovas são bastante procuradas pela população local e por restaurantes das capitais nordestinas. Os pescadores José Milton e Francisco, do açude Riacho dos Santos, mostraram à Expedição Gastronômica que têm consciência do defeso da piracema, época em que os peixes sobem os rios para se reproduzir — entre dezembro e março —, desovando nos açudes, que ficam cheios nessa época. Portanto, a pesca se faz após esse período, e as pessoas reservam as ovas durante o ano, congelando-as. A chef Adriana Lucena, do Quinta da Aroeira, preparou uma receita criativa com as ovas, cujo grande trunfo é cozinhá-las no leite com temperos, fazendo um delicioso cuscuz de arroz.

Rio Grande do Norte

sertão do seridó

Retirada das ovas de curimatã. A ideia hoje é aproveitar todo o peixe, embora as ovas sejam mais valorizadas no mercado como verdadeira iguaria. A chef Adriana Lucena criou uma receita exclusiva com esse "caviar" do Nordeste

Removal of curimatã roe. The idea nowadays is to use the whole fish, although the roe is more valuable in the market, as a true delicacy. Chef Adriana Lucena created a new and exclusive recipe using this "caviar" from the Northeast

Rio Grande do Norte

sertão do seridó

Caviar autêntico do Nordeste

[Chef Adriana Lucena, Quinta da Aroeira – Jandaíra, RN]

Rendimento: 36 porções

ingredientes

3 dentes de alho
1 cebola grande
1 punhado de coentro
1 punhado de cebolinha
1 litro de leite
Colorau e tomate (opcionais)
1 kg de ovas de curimatã
3 colheres (sopa) de nata batida
Sal
Hortelã picada a gosto para finalizar

MODO DE PREPARO

1. Bata os seis primeiros ingredientes no liquidificador. O colorau e o tomate são opcionais. **2.** Numa panela, junte as ovas e a mistura batida e mexa para desmanchar os gruminhos que vão se formar. Leve ao fogo. **3.** Você observará que à medida em que a mistura vai secando, também vai soltando água. Acrescente mais leite sempre que necessário e não se esqueça de mexer, senão gruda na panela. **4.** O caviar estará pronto quando não tiver mais água e apresentar uma textura cremosa (cerca de 45 minutos). **5.** Apague o fogo e acrescente duas ou três colheres generosas de nata batida, corrija o sal e finalize com hortelã picada.

Rio Grande do Norte

litoral sul

Tibau do Sul abriga praias encantadoras, cheias de falésias, coqueiros, areias brancas, fofas, conchas e recifes que quebram as ondas do mar, tornando as águas calmas. Vive no local uma pequena comunidade de pescadores. Algumas famílias tiram seu sustento trabalhando na Fazenda Primar, de criação de ostras e camarões.

Nesse município é possível desfrutar da gastronomia de um restaurante estrelado pelo *Guia Quatro Rodas*, o Camamo, do chef Tadeu Lubambo. Um cenário inusitado cria o clima: tochas indicam o caminho, e velas na mesa iluminam um belo menu degustação com sete etapas, que incluem pescados frescos. Foi assim, numa bela noite de lua cheia, que Lubambo recebeu a equipe, servindo uma caipivodca de pitomba para abrir o apetite.

A charmosa praia de Pipa é o point da galera. Foi descoberta pelos surfistas nos anos 1970. Depois de muito sol e agito, ao entardecer é possível ver na Baía dos Golfinhos o mamífero marinho mais simpático que existe: uma dádiva, pois boa parte dessa orla de grande importância biológica — com tartarugas marinhas e Mata Atlântica rica em fauna e flora — é Área de Proteção Ambiental (APA), cuidada pelo Instituto Brasileiro do Meio Ambiente do Rio Grande do Norte (Idema-RN). Sua preservação é fundamental para a conservação da biodiversidade.

Essa natureza pródiga fez se desenvolver o turismo ecológico, com caminhadas pela praia a pé, a cavalo, de bicicleta, de buggy ou, ainda, com passeios de caiaque, de barco ou aéreos. Também dá para descer as falésias de rapel, uma aventura e tanto!

PRODUTO ▪ OSTRAS ORGÂNICAS ▪ TERROIR

A natureza é bela e generosa para a criação de ostras em Tibau do Sul. E o homem colabora para manter as águas dos estuários, mangues e seu entorno limpas e puras, isentas de elementos químicos. "Além disso, a salinidade é adequada à criação de ostras", diz José de Medeiros Damázio, responsável pelo setor de maricultura do Sebrae do Rio Grande do Norte. "A ostra é um molusco assexuado que se alimenta por filtração, retirando os nutrientes em suspensão das águas. Por isso, se a água não for propícia, fará mal à saúde", completa o especialista. A criação na Fazenda Primar é orgânica, com certificação do IBD, o que inclui não só a manutenção do meio ambiente, mas também o lado social, pois dá condições dignas ao trabalhador.

PRODUTOR

Fazenda Primar [Tibau do Sul]

A Primar — fundada em 1993 por Alexandre Alter Wainberg, biólogo marinho e mestre em ecologia aquática — é uma empresa familiar com tradição em aquicultura dirigida. Está instalada no Sítio São Félix, em Tibau do Sul, com 40 hectares de área de viveiros de camarões e ostras. Em 2002 obteve a certificação orgânica do IFOAM (International Federation of Organic Agriculture Movements) e do IBD, promovendo práticas de manejo de baixo impacto ecológico e evidenciando o respeito ambiental e social. No caso da criação de ostra, é a única empresa do Brasil com essa certificação, com produtos inspecionados e rastreados desde o seu nascimento até a mesa. A água dos viveiros passa três vezes ao dia por uma medição de pH, salinidade, transparência, temperatura e oxigênio. O casal Márcia e Alexandre, que está construindo alojamentos para estudantes que queiram estagiar na fazenda, recebeu a Expedição Gastronômica Brasileira para uma visita aos criadouros. Depois de experimentarmos as ostras cruas, Alexandre disse: "Acredito que a fama de esse molusco ser afrodisíaco seja devida à quantidade de zinco que possui". O mineral contribui para a formação de testosterona, o hormônio masculino.

Rio Grande do Norte

litoral sul

Ostras gratinadas

[Chef Tadeu Lubambo, do restaurante Camamo – Tibau do Sul, RN]

Rendimento: 1 porção

ingredientes

3 ostras orgânicas

1 pitada de manteiga de alho

1 pitada de queijo gorgonzola

1 pingo de Cointreau

1 pedaço de manjericão de folha miúda

Suco das ostras (recolha o suco ao abri-las)

MODO DE PREPARO

1. Tempere as ostras com a manteiga de alho, o queijo gorgonzola, o Cointreau, o manjericão e com o suco das ostras. **2.** Leve ao forno até que a manteiga e o queijo derretam. **3.** Retire do forno imediatamente, para que as ostras mantenham a textura. **Dica:** O segredo é colocar todos os ingredientes em quantidades bem pequenas, para que os temperos apareçam, mas não sobressaiam ao sabor da ostra.

Rio Grande do Norte

natal, a capital

Na língua tupi, potiguar, como é chamado o povo do Rio Grande do Norte, significa "comedor de camarão". Isso se justifica, pois o estado é o maior produtor desse crustáceo do país. Em Natal, esse fruto do mar está nos cardápios de todos os restaurantes, sob as mais variadas receitas. Uma das praias mais agitadas da cidade é Ponta Negra, ótimo local para passear, tanto de dia quanto de noite. A orla é repleta de casas com gastronomia de qualidade, como Cook & Luxo, de Nívia Pedrosa, mineira que adotou Natal. Nesse charmoso estabelecimento, a chef serve uma comida de bistrô. As praias dos arredores, como Genipabu, são emolduradas por um cenário de dunas brancas, que lhes conferem incrível luminosidade e propiciam uma emocionante aventura nos passeios de buggy. Vale visitar o Mercado da Redinha e comer o prato preferido dos moradores, a ginga com tapioca, o crepe local, feito de um peixe miúdo e saboroso. Foi em Natal que nasceu um dos maiores especialistas do folclore e da gastronomia brasileira, Luís da Câmara Cascudo (1898-1986). Dentre os cerca de 200 livros que escreveu destacam-se o *Dicionário do folclore brasileiro* e *História da alimentação no Brasil*. Em homenagem a esse mestre que resgatou a identidade brasileira, a antiga casa em que ele viveu e trabalhou foi transformada no Instituto Câmara Cascudo, dirigido por sua filha, Anna Maria Cascudo, e sua neta, Daliana Cascudo Roberti Leite.

Câmara Cascudo e seu discípulo, Jardelino ■ A Expedição Gastronômica Brasileira se encontrou com Jardelino Lucena, que foi aluno e amigo do grande folclorista e sociólogo Luís da Câmara Cascudo. Lucena é advogado e fez mestrado em sociologia da alimentação na Bélgica, por orientação do mestre. Sempre gostou de comida, tendo lançado o livro *Sopa é sopa*, que fez muito sucesso. Atualmente está concluindo sua segunda obra sobre o assunto: *Fundamentos da cozinha do Rio Grande do Norte, nem só de jerimum*. "A gastronomia é a imagem de um povo, formada por um conjunto de técnicas e processos", diz o simpático especialista. A trajetória do pai influenciou a filha, a chef Adriana Lucena, que seguiu o legado dele como pesquisadora da cozinha potiguar. Jardelino frequenta há muitos anos a Peixada da Comadre, aberta em 1931, na praia de Ponta Negra. "Ali a receita é sempre a mesma, peixe fresco." Ele faz alusão à famosa peixada, que vem com ovo cozido, batata, cenoura e peixe. A casa continua administrada pela mesma família e é um dos restaurantes mais antigos de Natal.

O morro do Careca, na badalada praia de Ponta Negra, em Natal

Careca Hill, in the famous beach of Ponta Negra, in Natal

MERCADO

Mercado Municipal da praia da Redinha

A praia da Redinha leva esse nome por ser uma vila tradicional de pescadores, em que as redes de pesca, que ficam estendidas na areia, criam um cenário característico. Ele se completa com o Mercado Municipal da Redinha, que tem como uma das principais atrações a ginga com tapioca, peixe frito com óleo de dendê servido quente dentro do crepe. É uma das receitas preferidas do potiguar, oferecida no local há mais de 50 anos.

Voltados para o mar, os boxes funcionam também como bares. É claro que a oferta de peixes frescos é um dos diferenciais desse lugar tão particular, que conta com espécies como camurim (robalo), sirigado (badejo) e garoupa, além de frutos do mar como camarão, caranguejo e lagosta.

Peixe pacu prata

Pacu prata fish

O ESTADO DO

Amazonas

As viagens no Amazonas são exuberantes: **um mundo de águas**... um **mar de matas**. É a emoção de se sentir na **maior floresta equatorial do planeta**, no bioma Amazônia, o **"pulmão do mundo"**, convivendo com os ribeirinhos, caboclos e índios. Para entender essas **gigantescas dimensões**, só mesmo enveredando pelos **grandes rios**, afluentes e igarapés, como fez a Expedição Gastronômica.

O Amazonas — o maior rio em volume de águas do mundo — atravessa o estado com ajuda de seus afluentes e **deságua no Atlântico**. Ganhou esse nome por causa da coragem de **uma tribo só de mulheres** que o espanhol **Francisco Orellana** afirmou ter encontrado ao navegar nele no século XVI. É uma alusão à lenda grega das amazonas.

"O verdadeiro terroir amazônico são as águas", teoriza Fábio Silva, guia, chef e pesquisador local.

Os rios são importantes **fontes de alimento, transporte e comércio**. "De todas

Amazonas

Barco de linha, no porto de Maués, é o principal meio de transporte no Amazonas

A line boat, at Maués Port, a main means of transportation in Amazonas

Índia da comunidade tucano dessana na lida com a mandioca, base da alimentação

Indigenous woman from the Tucano Dessana community deals with cassava, their staple food

as dietas do país, a do Amazonas **é a que mais consome peixe**. São aproximadamente 28 quilos *per capita* por ano, o que quer dizer que tem peixe frito até no café da manhã", diz, bem-humorado. Afinal de contas, são cerca de **2 mil espécies**, o que resulta nos mais **diversos pratos** — assados, cozidos, ensopados e grelhados. Dos produtos agrícolas, o mais consumido é a **mandioca**. "Muitas **frutas** surgem em quase todas as áreas, como o cupuaçu e o abacaxi, mas há outras que estão ligadas ao tipo de água ao redor", comenta Fábio. É o caso da **camu-camu** e da **tucuribá**, nativas do igapó da várzea.

A **castanha**, com altas doses de ômegas, antioxidantes e selênio, ficou conhecida pelo porto de embarque — Pará —, mas recentemente passou a se chamar castanha-do-brasil, pois o Amazonas produz a maior parte.

Compõe a biodiversidade da Amazônia, **1,5 milhão de espécies**. Nela se encontram **guaraná**, mel de abelhas sem ferrão de Maués, açaí de Codajás, cupuaçu, farinha do Uarini, pimenta baniua, **palmito jauari**, pirarucu, **tambaqui** e até formigas comestíveis.

mundurucânia/maués

Foi uma emoção para a Expedição Gastronômica desembarcar no templo do guaraná, em Maués, na região de Mundurucânia, que vai do rio Madeira até quase a boca do Tapajós, entre as bacias dos rios Andirá e Maués. É onde vivem os saterés-maués, que falam a língua maué, do tronco tupi. Foram eles que inventaram o guaraná, tornando cultivável a trepadeira silvestre, e iniciaram o beneficiamento dos frutos, transformando-os, em um processo apurado, em bastão, forma mais tradicional, que até hoje consomem, ralando-o com língua de pirarucu.

Descoberto há mais de 600 anos, o guaraná foi descrito em 1669, no primeiro contato com os europeus, pelo padre João Felipe Betendorf: "(...) dá tão grandes forças, que indo os índios à caça, um dia até o outro não têm fome...". Sua cultura é tão importante que uma das datas festivas do município é a Festa do Guaraná, em novembro. Com bem mais cafeína que o café, o fruto está presente em todas as refeições dos locais: no café da manhã, no almoço (como aperitivo), acompanha o mingau de tapioca. É um energético para ser tomado a qualquer hora, muitas vezes na forma de vitamina.

Há alguns anos, com os índios saterés-maués, a Fundação Slow Food para a Biodiversidade criou uma "fortaleza" para proteger os bastões de guaraná e outra preciosidade local, o néctar de abelhas nativas. Ambos, aliás, estão intimamente relacionados, uma vez que uma parte do néctar é obtida das flores da planta do guaraná, que as abelhas, em contrapartida, ajudam a polinizar.

O objetivo é preservar a autenticidade do guaraná e garantir a sobrevivência da espécie na terra onde ela nasce e cresce naturalmente, mantendo o sustento das famílias cujos ancestrais descobriram, há tantas gerações, suas virtudes e o processo de produção e conservando a tradição de um povo ameaçado pela entrada das grandes empresas multinacionais.

PRODUTO ▪ NÉCTAR DAS ABELHAS ▪ TERROIR

Uma bela lenda indígena da etnia sateré-maué conta sobre a ida de Anumaré Hit para o céu, tornando-se o sol. Uniawamoni, sua irmã, continuou na Terra, na forma de abelha, para preservar as florestas sagradas de guaraná dessas tribos, polinizando as flores da planta. As melíponas, pequenas abelhas silvestres, não têm ferrão e são responsáveis pela distribuição do pólen de muitas outras espécies da floresta Amazônica. Elas pertencem à família das *Meliponinae*, que inclui 300 espécies de abelhas tropicais americanas. Nas terras indígenas Andirá Marau, em que vivem os saterés-maués, as mais comuns são as abelhas-canudo, que produzem um néctar mais líquido, com alto teor de açúcar e elevado nível de acidez e aroma. Elas são domesticadas em cerca de 20 aldeias, e, com o apoio da Fundação Internacional Slow Food para a Biodiversidade, a ideia é colaborar para a fonte de renda das comunidades.

PRODUTOR

Associação dos Criadores de Abelhas Nativas [Maués]

A Expedição Gastronômica foi conhecer a Associação dos Criadores de Abelhas Nativas de Maués, que, liderada por Teodomiro Rolim, farmacêutico e meliponicultor, conta atualmente com 35 produtores. De forma natural, as abelhas constroem as colmeias em troncos de árvores, o que implica a destruição destas. Por isso elas são criadas em caixas, que facilitam a reprodução, cultivando-se árvores frutíferas nos arredores para a polinização. Uma sociedade de abelhas vive cerca de 110 dias, enquanto a rainha reina por quase dois anos. As colmeias possuem camadas protetoras de cera, que mantêm a temperatura em 28 °C. Considerado de excelente qualidade, o mel dessas abelhas é avaliado em cerca de três vezes mais que o da Apis, *o mais comum.*

mundurucânia/maués

PRODUTO ▪ GUARANÁ ▪ TERROIR

Uma das lendas sobre o guaraná diz que um casal de índios de tribos inimigas se enamorou e fugiu, mas, atingido por um raio, morreu entrelaçado. Dos olhos da índia maué nasceu uma planta que, ao amadurecer, deu origem ao fruto do guaraná, cujo formato lembra o olho humano. Os indígenas de Maués usam esse estimulante desde tempos ancestrais e o chamam de "grande cipó da floresta Amazônica", mas só no século XVIII o botânico alemão Christian Franz Paullini catalogou o guaraná com o nome científico *Paullinia cupana*. Os saterés-maués utilizam o processo de semidomesticação: recolhem as sementes que caem das árvores e as plantam nas clareiras, onde são irrigadas pela chuva, colhendo os frutos antes de amadurecerem. Em novembro, em Maués, há a Festa do Guaraná. É nessa região que se colhe a matéria-prima para se produzir, desde 1921, um dos refrigerantes mais consumidos do Brasil, o guaraná Antarctica.

PRODUTOR

Índios saterés

Sidney, da etnia sateré, é um dos produtores de guaraná na região. Ele explicou à equipe da Expedição que a palavra vem de wará, "a origem de todo o conhecimento". As famílias dos saterés-maués integram um consórcio de produtores em Maués e colhem toneladas por ano, exportadas sobretudo para a Itália e a França. A missão do consórcio é fortalecer a cultura dos saterés, que possuem os certificados FGP (relacionados à biodiversidade) e IBD (produtos orgânicos) e o Selo de Agricultura Familiar. "Tudo na nossa vida nasceu do wará, e por isso somos os verdadeiros 'filhos do guaraná'", diz Sidney. Artesanal, a elaboração do guaraná envolve a remoção da polpa dos frutos maduros e a torra das sementes em fornos de barro. As sementes são descascadas, trituradas em pilão e moldadas em bastões de 100 gramas a 2 quilos, defumados depois com madeira aromática. Produz-se também o guaraná em pó, vendido em Maués, Manaus, Parintins, Itacoatiara e Santarém.

Amazonas

rio solimões

O Solimões nasce no Peru, atravessa o estado do Amazonas e percorre 1.700 km até chegar a Manaus, onde, depois de se encontrar com o rio Negro, passa a se chamar Amazonas. Solimões deriva de Sorimões, nome em latim da tribo que habitava e envenenava a ponta de suas flechas.

Tefé é um dos principais centros urbanos da região. Aqui a Expedição visitou o frigorífico Frigopeixe, a segunda empresa que mais emprega no local. Ela aproximou cadeia produtiva e produtor, gerando emprego e renda tanto para o pescador autônomo ou cooperado como para pequenos distribuidores.

A viagem à Reserva Mamirauá — para conversar com os pescadores sobre o manejo de pirarucu e tambaqui — foi feita de lancha, com Cláudio, que conduziu a equipe por furos e paranás, passando ao lado de jacarés de 2 metros. Emoção para quem vive na metrópole! Depois de um pôr do sol maravilhoso, o itinerário continuou por muitas horas, entre vários rios e lagos, até Maraã, uma das portas de entrada da reserva, às margens do rio Japurá.

Mamirauá, que compreende também os municípios de Uarini, Fonte Boa e Maraã, é a primeira reserva de desenvolvimento sustentável brasileira, criada em 1996. Local ímpar, trata-se de um ecossistema complexo, com lagos, lagoas, ilhas, restingas e paranás, que ficam metade do ano sob a água. Daí resulta a incrível diversidade de hábitats aquáticos e terrestres, em constante modificação. É por isso que a vida na várzea se define pela dinâmica das águas.

Outro destino da Expedição foi Igarapé de Samaúma, no lago de Janauacá, em uma saída do rio Solimões, para conhecer uma produção de tucupi e goma. Do barco, em cujas redes pernoitamos, vimos o belo nascer do sol. A viagem foi feita na companhia de Felipe Schaedler — eleito Melhor Chef, e seu restaurante, O Banzeiro, ganhou como Melhor Costela de Tambaqui pela *Veja Manaus* – e de Fábio Silva, que preparou um delicioso café da manhã: uma granola fenomenal com castanhas e frutos locais, ovos mexidos, suco, café e leite.

PRODUTO ▪ PIRARUCU ▪ TERROIR

Um dos maiores peixes da Bacia Amazônica — e seguramente o mais famoso —, o pirarucu pode atingir 3 metros de comprimento e pesar 200 quilos. Costuma viver nos rios e lagos de águas calmas. Na língua tupi, seu nome quer dizer "peixe (*pirá*) vermelho (*urucum*)", por causa da cor da cauda. Embora seja resistente, é vulnerável, porque vem à tona para respirar a cada 20 minutos e as fêmeas fazem ninho perto das margens alagadas, onde tomam conta dos filhotes. Assim, torna-se uma presa fácil de redes de pesca e arpões. "Até pouco tempo atrás, pescávamos o pirarucu para sobreviver, sem autorização do Ibama, e eles estavam acabando", afirma Luiz Gonzaga, ex-presidente da Colônia de Pescadores, que incentiva as comunidades a atuar no projeto de manejo de pirarucu da Reserva de Desenvolvimento Sustentável de Mamirauá, em Manaã. Luiz Gonzaga contou que sua comunidade aproveita tudo desse pescado: a cabeça é assada na brasa, apreciando-se até as bochechas e a língua; a barriga é assada com as escamas; com a cauda (com abóbora, mandioca, tomate e cebola), se faz caldeirada.

rio solimões

PRODUTO ▪ TAMBAQUI ▪ TERROIR

O tambaqui vive no igapó — área alagada da floresta —, adaptando-se às águas tranquilas e mornas, e cresce até a média de 28 quilos, mas há exemplares de até 42 quilos. Alimenta-se de sedimentos frescos e de frutas desse hábitat, como a camu-camu. Essa dieta faz com que sua consistência seja mais macia e delicada, com textura de fibras longas e gordura separada da carne. Nessa região do rio Solimões, o tambaqui é muito saboroso e serve para todos os preparos, como caldeirada e frito. "É um dos assados de brasa mais gostosos que já comi", diz Fábio Silva, chef e pesquisador da cozinha amazônica. Ele preparou para a Expedição Gastronômica, no próprio barco, o tambaqui à igapó. Em Maraã, na Reserva de Mamirauá, a Associação do Setor Jarauá desenvolve um projeto de manejo de pirarucu e tambaqui. São mais de cem pessoas, que chegam a pescar cinco toneladas de peixe entre agosto e novembro.

PRODUTOR

Indústria de Bacalhau da Amazônia [Maraã]
Associação Setor Jarauá [Manejo de Pirarucu e Tambaqui]

A Expedição Gastronômica foi conhecer a salga do pirarucu na primeira indústria de bacalhau da Amazônia, em Maraã, um projeto do governo do Amazonas com apoio do Ministério da Ciência e Tecnologia. O objetivo é o processamento dos peixes pescados pela Colônia de Pescadores, que atualmente tem 720 associados, dos quais 280 são mulheres. A comunidade faz parte da Reserva de Desenvolvimento Sustentável de Mamirauá, que desde 2000 trabalha com o manejo sustentável do pirarucu, cumprindo regras para a preservação da espécie. "Ser um pescador profissional artesanal é uma profissão de muita dignidade, e ver uma canoa cheia de peixes é uma realização!", diz Luiz Gonzaga. Irineu Medeiros, 27 anos, é técnico na indústria de bacalhau da Amazônia e um dos dez funcionários que se dividem no recebimento dos peixes e nos procedimentos de salga. Os cortes utilizados são a ventrecha e o lombo. A proposta é produzir 1.500 toneladas por ano, respeitando os recursos naturais. Para ter uma ideia, são pescados apenas 30% das espécies adultas. A fábrica compra direto dos pescadores, que também têm participação nos lucros. Ainda na Reserva de Mamirauá, em Jarauá, a Expedição foi conhecer a Associação do Setor Jarauá — Manejo de Pirarucu e Tambaqui, apresentada pelo seu presidente, Lázaro Alcimar Sousa da Silva. A associação tem 131 pessoas e chega a pescar cinco toneladas de peixe. A melhor época para a pesca é agosto e setembro, porém ela é feita até novembro.

rio solimões

PRODUTO ▪ TUCUPI E GOMA ▪ TERROIR

O clima tropical úmido e o solo arenoso aluvial de depósitos orgânicos superficiais, como o do Igarapé do Samaúma, no lago de Janauacá, são ideais para o cultivo da mandioca, "a rainha do Brasil". O uso desse tubérculo mostra como o índio e o caboclo amazonense estão ligados à terra e à sua ancestralidade. Existem mais de 80 espécies brasileiras de mandioca, que podem ser divididas em duas categorias: a mansa (macaxeira ou aipim) e a brava, da qual é preciso retirar o veneno — o ácido anídrico, considerado mortal após a ingestão. Para isso, rala-se e espreme-se a mandioca até que saia o caldo amarelo, que é fervido por várias horas, resultando no tucupi, que serve de base para o tacacá e as caldeiradas de peixes. Da massa se preparam inúmeras farinhas. Quando se deixa a massa decantar, no fundo do recipiente fica o que se chama de goma, com a qual se fazem o beiju e a tapioca, que são parte da refeição matinal do nortista.

PRODUTOR

José Cordeiro de Lima [Igarapé do Samaúma, Lago Janauacá]

No lago Janauacá, na boca de Igarapé do Samaúma – nome da maior espécie de árvore da Amazônia, que chega a ter mais de 100 metros de altura –, encontra-se o rancho flutuante de José Cordeiro de Lima, o seu Zé Meruoca, grande produtor de tucupi e goma do Amazonas. Ele estava bravo com as diferenças de tratamento por parte do município: ainda não tem luz própria e teve de pedir ao vizinho para utilizar o poste, arcando ele mesmo com toda a fiação. Sua casa, que fica ao lado, tem uma cozinha incrível, verde e repleta de panelas e tampas penduradas na parede. Ele trabalha ali há 30 anos. A Expedição Gastronômica foi conhecer a roça de mandioca, entrando de canoa pelos braços alagados do rio, uma cena indescritível. De volta ao barco da Expedição, foram preparados os pratos do livro: tambaqui à igapó, do chef e pesquisador Fábio Silva, e trilogia de pirarucu, do chef Felipe Schaedler.

A produção de tucupi de José Cordeiro de Lima, no Igarapé do Samaúma

Production of tucupi by José Cordeiro de Lima, in Igarapé do Samaúma

Ama zonas

rio solimões

Filé de tambaqui com risoto de queijo coalho e pimenta calabresa

[Chef Fábio Silva, Agência Amigos da Floresta – Turismo e Gastronomia – Manaus, AM]

Rendimento: 5 porções

ingredientes

RISOTO

150 g de queijo coalho cortado em cubos de 1 cm
3 colheres (sopa) de pimenta calabresa em flocos
2 xícaras de arroz longo tipo 1 de ótima qualidade não parboilizado sem lavar
1/2 cebola ralada
2 dentes de alho finamente picados
2 colheres (sopa) de óleo ou azeite de oliva
4 xícaras de água fervente
Sal a gosto

PEIXE

5 filés de tambaqui com aproximadamente 180 g cada um
2 1/2 litros de azeite de oliva extravirgem
3 dentes de alho descascados
1 ramo grande de alecrim fresco

MODO DE PREPARO

Risoto 1. Misture os cubos de queijo com a pimenta calabresa e reserve por pelo menos 2 horas. **2.** Inicie o preparo do arroz de forma normal, refogando a cebola e o alho no óleo ou azeite. Frite brevemente o arroz e acrescente a água fervente e o sal. **3.** Antes de as bolinhas de fervura acabarem de desaparecer dos furinhos formados na superfície do arroz, coloque-o em uma travessa refratária previamente aquecida e misture delicadamente o queijo temperado com a pimenta. **Tambaqui 1.** Uma vez limpos e sem tempero algum, enxugue os filés com papel-toalha e disponha-os em um refratário, de modo a não encostar uns nos outros. **2.** Coloque todo o azeite (se necessário, adicione mais; o azeite tem de cobrir totalmente o peixe). Espalhe os dentes de alho na fôrma e coloque por cima o ramo de alecrim. **3.** Leve o refratário ao forno, sem aquecimento prévio, e não permita que a temperatura ultrapasse 80 °C. **4.** Vigie pelos próximos 20 minutos, para que o peixe fique submerso e não forme bolinhas — o que indicaria que a temperatura do azeite está acima de 80 °C. Se isso acontecer, abra o forno e ventile-o um pouco, para baixar a temperatura rapidamente. Caso o seu forno seja o convencional doméstico, coloque um calço na tampa do forno para que este permaneça aberto uns 7 cm. **Finalização 1.** Retire do forno e monte o prato com uma porção de risoto, um filé de peixe e vegetais cozidos no vapor (palmito, brócolis, azeitona verde, tomate-cereja e minicenoura), regados com umas colheradas do azeite do peixe.

rio solimões

Trilogia de pirarucu

[Chef Felipe Schaedler, do restaurante O Banzeiro – Manaus, AM]

Rendimento: 1 porção

ingredientes

- *30 g de pirarucu seco já dessalgado*
- *Azeite de oliva*
- *1 colher (sopa) de cebola em cubos*
- *3 colheres (chá) de manteiga*
- *2 colheres (sopa) de castanha-do-brasil torrada (30 g)*
- *1/4 de xícara de leite de coco (40 g)*
- *Sal a gosto*
- *Lâminas de banana pacova*
- *1 colher (sopa) de pimentão vermelho picado*
- *1 colher (sopa) de pimentão verde picado*
- *2 colheres (sopa) de farinha Uarini (30 g)*
- *35 g de pirarucu fresco*
- *30 g de pirarucu defumado*

MODO DE PREPARO

1. Preaqueça o forno (160 °C). Asse o pirarucu seco com azeite por cerca de 15 minutos. **2.** Em uma caçarola, refogue metade da cebola em uma colher (chá) de manteiga, coloque a castanha e em seguida o leite de coco. Corrija o sal. **3.** Grelhe a banana com outra colher de manteiga em uma frigideira antiaderente. **4.** Em separado, refogue a outra parte da cebola na manteiga restante, junte o pimentão e a farinha, até que fique bem crocante. **5.** Grelhe o peixe fresco e o defumado em uma frigideira com um fio de azeite. **Finalização 1.** Disponha em um prato o creme de castanha, a banana e a farofa. **2.** Sobre a castanha coloque o peixe fresco; sobre a banana, o defumado, e sobre a farofa, o seco. **3.** Decore com fios de azeite e sirva em seguida.

Amazonas

grande manaus

Logo que chegou a Manaus, a Expedição se encontrou com Fábio Silva, pesquisador, guia, cozinheiro e quase caboclo — esse paulistano vive no Amazonas há 30 anos. Ele levou a equipe para experimentar uma das refeições mais apreciadas pelo manauense: peixe frito (no caso, tambaqui) com arroz, vinagrete, pimenta e farinha, servido na peixaria Restaurante da Bia, no Ceasa. Foi de lá que se pegou o barco para ver o famoso "encontro das águas".

Com menos de meia hora de viagem é possível presenciar os rios Negro e Solimões correndo juntos, por mais de 6 km, sem se misturarem. Uma verdadeira pintura ao ar livre, em que se contempla a beleza rara das diferenças de cores dos dois rios, formando nitidamente uma linha divisória.

O rio Negro, o segundo maior do mundo em volume de água — o primeiro é o próprio Amazonas, que ele ajuda a formar —, nasce na Colômbia e se encontra com o Solimões depois de passar por Manaus. Foi por esse rio tão caudaloso, de águas negras, que a Expedição Gastronômica navegou, descobrindo tanto produtos quanto pessoas especiais, como os índios tucanos, que desenvolvem a chamada "terra preta", fértil para o cultivo. Seguimos a trilha deles na caça da comestível "formiga" maniuara e acompanhamos a produção do tucupi preto, verdadeira iguaria local.

A equipe conversou também com caboclos que produzem a saborosa farinha-d'água, jambu e, ainda, uma louvável cultura de orgânicos, quebrando o paradigma de que o amazonense não tem o hábito da agricultura, voltando-se apenas para a caça, a coleta e o cultivo da mandioca. "Só mesmo vindo para cá para sentir e entender o rio, sua gente rara e sua beleza

Vai e vem das embarcações no porto de Manaus

Movement of boats in Manaus harbor

No porto de Manaus, tambaquis e jaraquis recém-pescados

Tambaquis and Jaraquis recently fished at Manaus Harbor

estonteante", comenta Fábio Silva, revelando sua paixão pela Amazônia.
Foi justamente na época das cheias, em maio, que a Expedição esteve lá, sentindo na pele a adversidade que esse povo tem de enfrentar quando o rio transborda, subindo vários metros — em 2012, foram quase 30 — e inundando as regiões ribeirinhas.
Na capital manauara, a equipe contou com a ajuda de outra especialista, a chef Maria do Céu, dona do Studio 5, um bufê que resgata a cozinha amazônica e privilegia pequenos produtores. Foi ela quem preparou duas receitas deste livro, com os peixes matrinxã e aruanã. A Expedição conheceu também o Banzeiro, casa do chef Felipe Schaedler, que a acompanhou em algumas visitas.
Manaus atrai ainda pelos monumentos históricos, como o Teatro Amazonas, que encanta tanto pela arquitetura como belos espetáculos. Em frente ao teatro, o Bar do Armando oferece um bom bolinho de bacalhau e sanduíche de pernil.
No fim da tarde, como os manauaras, os membros da Expedição, na companhia agradável de Maria do Céu, tomaram o "tacacá das cinco". E, claro, para aguentar toda essa maratona de visitas, sob um sol de 40 °C e a umidade predominante, Fábio levou todos para tomar uma tradicional vitamina, bem no centro de Manaus, no Ponto do Guaraná. Entre as muitas receitas constava uma mistura com castanha-do-brasil, mel e limão. Realmente energizante!

PRODUTO ▪ CUPIM MANIUARA E TUCUPI ▪ TERROIR

Nativa do alto rio Negro, a comunidade tucano dessana vive às margens dos afluentes Içana, Cubate, Uaupés e Tiquié. É costume desse povo catar as maniuaras, espécie de cupim comestível, cujas cabeças consomem em forma de farofa com pimentas. Retiram-nas principalmente nas cheias, mas a coleta é possível o ano todo e é uma atividade das mulheres. Já o tucupi preto nada mais é do que a redução lenta do amarelo, extraído da mandioca-brava. "No alto rio Negro, sua tradição se equipara à do tucupi amarelo", conta o pesquisador e guia Fábio Silva. Com o tucupi preto preparam-se sopas e cozidos, sendo também usado como condimento. "Em outras áreas da Amazônia, o tucupi preto é quase tão desconhecido como em São Paulo", diz Fábio. "É próprio da tribo tucano dessana, mas também dos macuxis, em Roraima, e dos baniuas, no Amazonas, entre outras." Há cerca de dez anos, os tucanos dessanas deram início à formação da Comunidade Indígena do Tupé, com aproximadamente 80 famílias, instaladas em Área de Proteção Ambiental pertencente a Manaus. As secretarias estadual e municipal do Meio Ambiente e o Ibama os autorizaram a se estabelecer, desde que unicamente para desenvolvimento cultural e manejo, como de fato o fazem.

Tucupi usado no preparo das "formigas" maniwara, tribo Dessana, Rio Negro

Tucupi used in the preparation of maniwara "ants", tribe Dessana, Rio Negro

Comunidade indígena tucano dessana [São João do Tupé]

O rio Negro é lindo! Parece um chá-preto, calmo, misterioso. Pelo rio, de voadeira, a Expedição Gastronômica foi conhecer a comunidade tucano dessana para uma vivência de comida indígena (maniuara, tucupi preto e beiju) e encontrou-se com o cacique Domingos Thoalamü (o primeiro é seu nome em português, e o segundo, da etnia dessana), sua esposa, Yossokamo (Teresinha), e Miriõ (Cláudia).

Às mulheres pertence o trabalho de coletar as chamadas "formigas" maniuaras, que, na realidade, são cupins. Os três se pintaram a caráter e seguiram a trilha em busca das maniuaras. Para caçá-las, é necessário defumar o buraco em que se encontram e colocar um ramo, para que mordam e fiquem presas, pegando-se de 10 a 15 por vez.

Terminada a caçada, na aldeia iniciou-se o preparo do beiju e do tucupi preto com as maniuaras e as pimentas murupi, cabeça-de-peixe e malagueta. Eles coletam e comem também saúva e tanajura. Na despedida, o cacique e seu filho Guy tocaram uma espécie de flauta gigante de som único, encerrando a visita com chave de ouro.

PRODUTO ▪ FARINHA-D'ÁGUA ▪ TERROIR

O Parque Estadual do Rio Negro está na margem esquerda, no igarapé de Jaraqui, a 40 km de Manaus, com acesso fluvial. Habita-o a comunidade Bela Vista do Jaraqui, uma das mais populosas do parque, que vive basicamente da mandioca e da produção de farinha-d'água. O tubérculo é plantado em solos de várzea e de terra firme. Isso mostra que a raiz, o principal carboidrato local, se adapta bem às condições de clima e solo da região. Para produzir a farinha-d'água, é comum descascar a mandioca e, num saco, colocá-la na água corrente do igarapé para fermentar durante horas, o que a torna amarelada. A Bela Vista, primeira comunidade a desenvolver o turismo de base comunitária, é referência nacional em ensino a distância, graças a membros como Manoel Gomes Ferreira, que fez um trabalho de conscientização sobre as tradições e o meio ambiente.

PRODUTOR

Manoel Gomes Ferreira [Sítio São José, Bela Vista do Jaraqui]

De voadeira, o barco típico local, a Expedição subiu o rio até a Bela Vista do Jaraqui e, no meio da tarde, avistou o lugar paradisíaco em que mora seu Manoel, que estava na lida da farinha. Simpático, ele recebeu a equipe mostrando tudo em seu terreno: porco, galinha, maniva, cupuaçu, tucumã, castanha e açaí. Esse caboclo típico — que é guia de turismo de selva e delegado do Sindicato Rural de Carrero, Manaus e Iranduba — vive do que a floresta lhe dá e mora no Sítio São José há 44 anos com a mulher, a filha, o genro e a neta. Em seu terreno, ergueu um acampamento de selva, para receber turistas e alunos de intercâmbio de todo o mundo, e uma pousada com o genro. "Só entende a vida do caboclo quem vem aqui", comenta. A visita foi coroada com um pôr do sol indescritível. Em seguida, a Expedição provou o jaraqui, o peixe mais popular da região, acompanhado da farinha-d'água torrada à tarde; de sobremesa, bombons de cupuaçu e castanha produzidos pela comunidade. A volta foi silenciosa pelo rio misterioso.

PRODUTO ▪ ORGÂNICOS ▪ TERROIR

A agricultura não pertence à tradição local, mesmo com as águas da várzea se renovando a cada cheia e oferecendo terras férteis para o cultivo. Alguns produtores amazonenses, porém, têm se dedicado aos orgânicos. Os ingredientes nativos — como uma boa variedade de tubérculos, tucumã e cupuaçu — são mais fáceis de trabalhar, mas os outros demandam cuidados especiais. Os produtores seguem as boas práticas das plantações de orgânicos, como cinco anos de solo descansando, insumos e proteção natural ao redor e multicultivo. Está em andamento o selo da Rede Tipiti de Certificação Socioparticipativa, que assegura ao consumidor a origem e os critérios adequados de produção, respeitando o meio ambiente e a agricultura familiar, de acordo com a Lei dos Orgânicos (n. 10.831/2003).

PRODUTOR

Raimundo Moura [Sítio Santo Expedito]

Raimundo conta à Expedição que é apaixonado pela produção de orgânicos. Tendo iniciado consumo próprio, os amigos começaram a fazer pedidos, o que acabou criando uma demanda. Obedecendo aos critérios dos orgânicos, o agricultor não utiliza produtos químicos como agrotóxicos e fertilizantes, usa sistema de compostagem e possui corredores ecológicos com defensores naturais, onde outras plantas combatem as pragas, como o neen e a urtiga. Atualmente planta batata, taioba, cúrcuma, vinagreira, tucumã, cupuaçu, alface, rúcula, mizuna, ora-pro-nóbis e bok choy. Raimundo é presidente da Associação dos Produtores Orgânicos do Amazonas (Apoam), com 18 associados, e comercializa a produção na feira organizada pela Igreja Messiânica Johrei Center, às segundas-feiras; aos sábados, com outros produtores rurais de orgânicos, vende seus alimentos na Feira do Mapa, em Manaus.

PRODUTO ▪ JAMBU ▪ TERROIR

O jambu é uma erva originária da região amazônica que adormece a boca e traz uma sensação mentolada, o que se explica pelo fato de possuir em sua composição a substância espilantol, que tem propriedades anestésicas e provoca excesso de salivação. Muito utilizado na culinária da região, é um dos ingredientes principais do emblemático tacacá, receita de herança indígena que leva também caldo quente de tucupi, goma e camarão seco, servido na cuia. Em Manaus, é comum encontrar nas ruas e praças várias barraquinhas de tacacá, em que os locais gostam de parar, principalmente no fim da tarde, para apreciar esse caldo tão tradicional. Essa hortaliça precisa de calor no período de replantio e adora chuva. "Tá em casa!", diz o guia da Expedição, Fábio Silva. O segredo do cultivo são a várzea e os sedimentos depositados durante as cheias.

PRODUTOR

Comunidade Renascer [Ilha Marchantaria – Iranduba]

Na comunidade Renascer, na ilha Marchantaria, nos arredores de Manaus, o pequeno agricultor José Roberto Queiroz Nogueira, que trabalha na terra há dez anos, tem como principal sustento o cultivo de jambu. Quando a Expedição Gastronômica visitou o local, a plantação dele estava toda sob a água, por causa do excesso de chuvas. Para a próxima safra, foram salvas algumas mudas de jambu, colocadas num girau. De agosto a abril, José Roberto costuma colher cerca de 800 maços. Além de jambu, ele e sua família plantam pepino, repolho, feijão, chicória, alface, cebolinha, coentro e batata. Faz entrega duas vezes por semana na Feira Manaus Moderna. Nesta colheita, teve de comprar o jambu do seu primo. A cheia traz muitos transtornos e prejuízos em toda essa região do rio Amazonas e seus afluentes, e as famílias têm de deixar suas casas à espera de a água baixar. José Roberto encontrou a solução: construir um andar acima na casa, para o caso de o rio subir mais.

MERCADOS E FEIRAS

Feira Manaus Moderna

Ao lado do Mercado Municipal Adolpho Lisboa, construído em estilo art nouveau, *fica a Feira Manaus Moderna. Localizado diante do rio Negro, porta de entrada das mercadorias, o local fervilha de gente e histórias.*

A equipe acordou cedinho para tomar café da manhã na barraca do Faustão, onde comeu tapioca com recheio de queijo coalho e tucumã e bebeu os deliciosos sucos de frutas. Agora, sim, estava preparada para desvendar esse universo dos ingredientes amazônicos. O agito se forma nos corredores da castanha, da farinha — com uma quantidade incrível de variedades —, das verduras e, por fim, dos peixes, como tambaqui, jaraqui e muitos outros, mostrando a incrível diversidade de espécies das águas amazônicas. Um prato cheio para os chefs de cozinha locais se esbaldarem. A Expedição presenciou um feirante escondendo os pirarucus que vendia, pois era época do defeso. Ao ver as câmeras, começou a guardar tudo.

Feira da Banana

A banana está presente em todas as refeições diárias do amazonense, que dela sentem saudade quando estão longe de sua terra. É por isso que em Manaus há até a Feira da Banana, com opções da fruta para dar e vender. Em visita à feira, a equipe se encontrou com Moacir, empresário da banana há 15 anos que trabalha com as variedades prata, maçã e a local, pacova. Para se ter uma ideia da dimensão desse comércio, Moacir compra de vários produtores e vende 3 mil cachos por dia, cada um com cerca de três dúzias de banana. Desse montante, 60% são de banana pacova. Embora o carro-chefe seja a banana, há também outros produtos de destaque na feira, como melancias, tucumãs, pupunhas, mamões e gomas.

Filé de aruanã crocante com farofa d'água

[Chef Maria do Céu Athayde, Centro de Gastronomia — cursos e bufê — Manaus, AM]

Rendimento: filé 3 porções, farofa 20 porções

ingredientes

FILÉ DE ARUANÃ

- *600 g de filé de aruanã*
- *50 ml de suco de limão*
- *Sal a gosto*
- *100 g de farinha de rosca (grossa)*
- *900 ml de óleo para fritar*
- *Manteiga temperada (de sua preferência)*

FAROFA

- *1 xícara de tomate (150 g)*
- *1 xícara de cebola (150 g)*
- *1/2 xícara de pimentão (100 g)*
- *1/4 xícara de pimenta-de-cheiro*
- *1 pimenta murupi*
- *1/2 xícara de azeite de oliva (100 ml)*
- *1/2 xícara de vinagre (100 ml)*
- *2 colheres (sopa) de sal (20 g)*
- *1 maço de cheiro-verde picado*
- *1 kg de farinha do Uarini*

MODO DE PREPARO

Filé de Aruanã 1. Lave e tempere os filés com água, limão e sal. **2.** Escorra e seque os filés. **3.** Empane com farinha de rosca e frite em óleo bem quente. **4.** Retire do fogo e deixe escorrer. **5.** Cubra com a manteiga temperada. Mantenha quente. **Farofa 1.** Corte o tomate, a cebola, o pimentão, a pimenta-de-cheiro em cubinhos. Reserve. **2.** Pique a pimenta murupi e reserve. **3.** Misture o azeite, o vinagre e o sal. **4.** Acrescente as pimentas e o cheiro-verde picado. **5.** Junte o tomate, o pimentão, a cebola e misture bem. **6.** Espalhe sobre a farinha e mexa rapidamente. **Dica:** Se a farofa ficar muito seca, pode-se acrescentar água aos poucos, até ficar úmida. **Finalização 1.** Num prato coloque uma porção de filé e espalhe a farofa ao lado. Se quiser decore com rodelas de limão.

TRANSLATION

Introduction

THE RICHES OF OUR LAND

In its 15th edition, the team from the Festival of Culture and Gastronomy of Tiradentes launched in 2012 a grand and challenging project: to go on an expedition visiting Brazilian states, pioneering their regions to understand and document the diversity of our ingredients and to learn about the dedication of the people who produce them. As a result, the book "Expedition Gastronomic Brazil" was born – with the idea of visiting six states per year – the first 12 include the places that will host the 2014 World Soccer Cup.

Setting off in 2012, the Brazilian Gastronomic Expedition team traveled to Minas Gerais, Rio de Janeiro, Pernambuco, Rio Grande do Norte, Ceará and Amazonas and now publishes the first volume of this series. It is the result of a pioneering initiative: we took into consideration the Brazilian biomes – the Amazon, the Mata Atlântica, Cerrado, Caatinga, Pantanal and Pampas - to reflect on the terroirs, i.e., the set of factors that influence the quality and peculiarity of each ingredient, considering the natural conditions - climate, topography, altitude and soil - and, adding to that also the human factor, often linked to local traditions and history on the attention to agricultural resources, livestock or even when extraction is concerned.

In a country so rich in biodiversity, choosing the products and producers was not an easy task. As we note throughout this work, gastronomy goes beyond the restaurant and its chef. It involves a large productive chain, which starts with the product, being the farmer the center of everything, as a family business or an enterprise, flowing to trade, that is, the markets and fairs, catalyst institutions of this whole production network. It is good to highlight that this production network is three times larger than the GDP of the petrochemical industry. As criteria, we adopted some aspects that have strong links with the eating habits of the communities, like the tribe sateré-maué for instance, from Amazonas that has been processing the guaraná fruit for centuries as a source of energetic food. The selection also includes more recent products, which have adapted very well to the terroir of a particular region, highlighting the cultivation of grapes for wine production in the São Francisco Valley, in Pernambuco. The chefs also had an active participation in choosing the ingredients and, with their dishes, they expressed their taste, whose recipes are offered in this publication.

We tried to choose producers connected to good practices, who are concerned about not harming the environment, respecting the seasonality of the products and providing decent working conditions to the people involved. Inserted in this context are the organic products, grown without the use of pesticides and chemical fertilizers, in Rio de Janeiro.

The family farm was one of the highlights of this work, which also brings to light the local cooperatives and companies that work with quality, using new technologies, valuing social inclusion and skills of their workforce, in addition to adopting sustainable management practices. It was exciting for us to find, throughout Brazil, examples of harmonious coexistence between human beings and nature, which reveals the wisdom of these people in maintaining our natural resources.

We invite you to embark in this transformative journey and to feel, like us, the pride to be part of this huge country, with a rich gastronomy, which is nowadays valued and recognized internationally.

MEET THE BRAZILIAN BIOMES

The largest biome in Brazil, the Amazon, covers nearly a third of the area of the country, spreading into the states of Amazonas, Pará, Roraima, Rondônia, Amapá, Acre, Maranhão, Tocantins and Mato Grosso. Its landscapes are composed of dense and flooded forests, wetlands and upland forests, with a great diversity of flora and fauna. The climate is equatorial, warm and very humid. Because of the numerous and vast rivers that permeate the Amazon region, there is a great variety of fish, which is the staple diet of the Amazonian. This composition makes of the extraction a local practice, highlighting the açaí, the Brazil nut and the fishing, a practice of the so-called "forest people" such as the indigenous, ribeirinhos, quilombolas and other traditional peoples from this area.

The Cerrado biome is the second largest in the country, present in the states of Goiás, Mato Grosso, Mato Grosso do Sul, Minas Gerais, Tocantins, Amazonas, Bahia, São Paulo, Maranhão, Piauí and the Federal District. Among the dry fields, the humid gallery forests, and the formations of valleys and plateaus there is a rich set of vegetation shrubs, grasses and small trees. This biome shelters a multitude of birds, reptiles, mammals, amphibians and fish, and there we can find the sources of the major river basins in Brazil. Their resources represent the basis of the survival of many families.

The Caatinga, an exclusively Brazilian biome and the most representative of the Northeast, covers the states of Ceará, Bahia, Sergipe, Pernambuco, Alagoas, Paraíba, Rio Grande do Norte, Piauí, and small areas of Maranhão and Minas Gerais. It consists of hundreds of shrubs and small trees such as the juazeiro, umbuzeiro and cashew, and cacti, like the mandacaru and xique-xique, which store water to survive the dry periods. The Caatinga houses backland communities which still today struggle to learn how to live with the resources of the semiarid region, collecting and cultivating them in a fair and supportive way.

A Natural Heritage of Unesco, the Pantanal, the largest wetland in the world that covers the states of Mato Grosso and Mato Grosso do Sul, has much of its land covered by lakes and ponds, a land characterized by low altitude and low slope. It is a region where man and nature live in harmony, in a cycle of floods and droughts. There are more than 260 species of fish, besides reptiles such as alligators, and more than 400 bird species. The locals live off the extensive cattle rearing and they have the cowboy as their local symbol.

The only biome located in the limits of a single state, the Pampas occupies 63% of the state of Rio Grande do Sul. With a temperate climate, the plains, the gaucho plateaus and the coxilhas, with gentle relief, prevail in the fields of the South, showing shrubs and grasses. It is divided into the Planalto da Campanha, Depressão Central, Planalto Sul-Rio-Grandense and Planície Costeira. Attached to their traditions, the gauchos are very involved with their livestock and with new products that have nowadays successfully adapted to the soils of the state.

Comprising almost the entire coastal region of Brazil, from Rio Grande do Sul to Rio Grande do Norte, the Mata Atlântica occupies less than one-tenth of its original area. It is primarily concentrated on the Serra do Mar. In this biome, a great expansion of agriculture with the production of sugarcane, coffee and cocoa took place from the seventeenth until the twentieth century, which led to a large deforestation. This important rainforest has more than 25,000 species of plants and, among the trees, are the pau-brasil, palm and jatobá. Associated to this biome are ecosystems of the coastal area, with mangroves, salt marshes, cliffs, islands, lagoons and estuaries. Among the local populations of the Mata Atlântica we can find the hillbillies, caiçaras, the jangadeiros and the artisanal fishermen.

1. The State of Minas Gerais

Minas are many, as it was once well said by the great writer Guimarães Rosa. It is the semiarid North, the cattle and the cachaça. It is the Zona da Mata region, fruitful to the agriculture and traditional in the rearing of pigs. It is the Cerrado Mineiro, with its purple soil and altitude for the coffee production, besides the slopes and valleys where grazing cows yield their milk for the famous mineiro cheeses, true part of the heritage of the state. But the mineirice (the mineiro way of living) is present in the four corners of the state: good storytellers, the mineiro captivates everyone with their "uais", and their tenacious, contemplative and hospitable way of welcoming everyone to an exuberant table of quitandas – a gathering of delicious tidbits such as cakes, corn bread, cheese puffs, and cassava biscuits all served with black coffee. Every mineiro has long learned how to preserve their identity and to fight for their freedom. The "heart of Brazil" has great names to be proud of — just marvel at The Prophets sculptures of Aleijadinho, in Congonhas do Campo, read the poems of Carlos Drummond de Andrade, listen to the music of Milton Nascimento and thrill at the talent of Pelé. The artistic and religious soul of its people is expressed in saints celebrations, as in the festivities of Nossa Senhora do Rosário, or in the lively Congadas and the Folias de Reis, a centenary tradition whose merry fellows are welcomed from house to house with a lot of food and singing. The Gastronomic Expedition followed the trail of this rich history, traveling along part of the Royal Road. This sightseeing tour includes cities connected to the gold rush, in the eighteenth century - where drovers used to transport riches to the harbor of Rio de Janeiro - and it brings together attractions such as colonial-style homes, churches, museums. Wherever they go, tourists enjoy excellent food, like the sweet corn polenta and the crackling pork called pururuca, among the many local delicacies.

▪ Vale do Jequitinhonha and North of Minas

Vale do Jequitinhonha is a land of simple people, with great artistic talent. It is theirs the famous colored clay dolls that delight Brazil and the world. The lush and vast region, in the north of the state, is full of plateaus and caves. It emerged in the eighteenth century, when the Portuguese crown found a fortune in gems in Arraial do Tijuco, nowadays Diamantina. At the foot of Serra dos Cristais, the town, now a World Heritage Site, still preserves its beautiful colonial houses. It is the land of Chica da Silva, a freed slave who had a relationship with the diamond contractor João Fernandes de Oliveira and influenced the local society. Serro, in Alto Jequitinhonha, bordering the Vale do Rio Doce, portrays a landscape framed by waterfalls, stone walls and intense fogginess. Everything around the town reminds us of the time of mining, with its steep hills, narrow cobblestone streets and baroque architecture. But nowadays the greatest wealth of Serro is the production of cheese, which is made the traditional way and has been registered as Immaterial Cultural Heritage by Iphan. The production is reason for a celebration, which takes place between August and September, at the Exhibition Park, and holds a dairy contest, concerts and the vaquejada. Salinas, to the North, is the world's capital of the cachaça made in artisanal distilleries. The town is located in the plateau of Itacambira, whose semi-arid climate is favorable to this manufacturing. The cachaça started to become an important economic activity in 1950, with names like Anísio Santiago, who gained fame with the liquor called Havana. In the 1990s, this fact led to the boom of good brands, marketed and recognized throughout the country and abroad. Our Gastronomic Expedition had the pleasure of experiencing the everyday life of some local producers, true guardians of the regional culinary tradition.

PRODUCT ▪ CHEESE ▪ TERROIR ▪ The unmistakable taste of the cheese from Serro is the result of several factors such as the microclimate: with an average altitude of 800m, the temperature differences between warm days and cool nights of the mountain cause the appearance of particular bacteria concentrated in the process that separates the whey. They give rise to the pingo (drop), which flows during the cheese curing and is used as natural yeast. This is a compact, soft, and creamy mass of cheese with a slight acidity. In 2011, the cheese received a Geographical Indication, which delineated the producing cities: Serro, Alvorada de Minas, Conceição do Mato Dentro, Dom Joaquim, Martelândia, Paulistas, Rio Vermelho, Sabinópolis, Santo Antônio do Itambé and Serra Azul de Minas.

Producer ▪ **Heritage from Serra da Estrela** ▪ *Mineiro cheeses from Serro, Canastra and Salitre are part of the cultural heritage of the Portuguese, who settled in these regions at the time of the gold rush, in the eighteenth century, and began the production of a type of half-curing in the mold of the famous Lusitanian cheese from Serra da Estrela. The fame spread out because King João VI encouraged the production of this cheese in the next century.*

Producer ▪ **Dairy Farm Engenho da Serra** [Serro] ▪ *Engenho da Serra is one of the many dairy farms located in the mountainside of Serra do Espinhaço. One of the secrets of the product is that it is still prepared as it was in the past, following the strict standards of manufacturing craftsmanship. The responsible for the production is cheese maker Francisco Pereira de Jesus, who adds the pingo to the coagulated milk. The mass for the cheese is placed in molds, the serum removed and salt is added; after it is taken out from the mold, the cheese goes to the maturing shelves (the half-cured, soft inside and yellow on the outside, is ready in about 14 days). Jorge Simões, owner of the dairy farm, took part in the documentary film "Mineiros and their Cheese", directed by Rusty Marcellini, which focuses on the difficulties of distribution outside the state of Minas Gerais, due to Brazilian legislation: the cheese is made from raw milk. All this was reported to the staff of our Expedition in the kitchen farm, near a wood stove, where we drank a cup of coffee and savored a piece of cheese, which was wonderful, very tasty and full of stories!*

PRODUCT ▪ ARTISANAL CACHAÇA ▪ TERROIR ▪ "The municipal districts located in the canyons of Salinas, which have semi-arid soil with fine and massive earth and very little salt, are the ones propitious to the cultivation of sugarcane," says Osvaldo Mendes Santiago, from the emblematic cachaça Anísio Santiago. The climate is semiarid, with a well-defined rainy season. We emphasize the quality of the sugarcane, the varieties of java coffee and grapes, with good sugar content. This excellence is complemented by the production of artisanal cachaça in copper stills, aged in wooden barrels – such as umburana, ipê, jequitibá, jatobá - for at least two years. Some take from six to ten years to mature.

Producer ▪ **Havana Farm** [Salinas] ▪ *Known internationally, Havana Farm - Santiago Anísio is the symbol of the Brazilian artisanal cachaça, valued as a luxury product. Since 2009, it has been holding the Certificate of Origin from the Institute of Agriculture of Minas Gerais (IMA), which recognizes the production based on concepts of economic and ecological sustainability and gives added value to the product. The Havana Farm, with 180 hectares, was founded by Anísio Santiago in 1942 and soon began producing high-level cachaça, aged eight to ten years in balsam. After his father's death, the son, Osvaldo Santiago, took charge of the business and the challenge of maintaining the same standard, with no added chemicals. "Everything that is made with love and with the pursuit of perfection is bound to have quality," says Santiago.*

▪ Cerrado Mineiro

The Cerrado Mineiro is a biome that occurs in most parts of the state of Minas Gerais; in it shrubs, grasses and small trees with tortuous twigs form the paths that meet the springs of streams, through the mountains of Minas Gerais. Example of this incredible diversity is the Parque Nacional da Serra da Canastra , in the southwestern region of the state, where endangered species such as the maned wolf and the giant anteater circulate freely. Considered an important roadmap for eco-tourism and bird watching, the park also shelters the source of the large São Francisco River and its first major waterfall, the Casca d'Anta, with its 200m of height, a landscape worthy of a postcard, which filled with pride the hearts of the mineiros who were part of the Expedition team. The entrance to the park and the region of the Canastra cheese is São Roque de Minas. At a distance, it is possible to see the 60km long rock formation in the shape of a chest (called Canastra, by the mineiros). Right there in the Cerrado, the former Arraial das Formigas - nowadays the city of Montes Claros - a passage for the troops that explored the backwoods of Minas Gerais, lured many cattle ranchers. This is one of the reasons why the serenada meat became one of the greatest attractions of the local cuisine. The Cerrado Mineiro was the first demarcated region for coffee in Brazil. The region develops a special high-quality standard grain, with fine, exquisite and intense aroma - which makes of the coffee production an important economy for the region. Among the producing municipal districts are Patrocínio, Araguari, Aimorés, Monte Carmelo and Araxá. In Lagoa Formosa, is located the Fazenda do Baú, which has an excellent coffee of altitude, characteristic of the region.

PRODUCT ▪ SERENADA MEAT ▪ TERROIR ▪ The vocation of Montes Claros for the cattle breeding has enabled the choice of a good cut of topside meat to make the serenada meat. It is also favorable the fact that the city is 1,200m above sea level, having dry days and wet nights. The famous meat is left outdoors overnight, receiving the dew, protected only by a screen cover on the sides and a roof at the top, which is called serenador.

Producer ▪ **João Maia Steakhouse** [Montes Claros] ▪ *João Maia, owner of the steakhouse that bears his name, invented the serenada meat in the 1970s. It was so successful that his sons, Armando and Fernando, continued reproducing his creation. During preparation, two longitudinal cuts are made in the topside piece, which is then salted. The meat is placed on a platter with its fatty part down for about three hours, then the excess salt is removed, and the meat is then left outdoors hanging in the serenador for two days. Unfortunately, because this kind of meat does not have the seal of the Federal Inspection Authority (SIF), the product is only sold in the state of Minas Gerais. The Expedition team found out that the weekly demand for 500 kilos of serenada meat is due to the fact that the steakhouse is located right next to a gas station, which attracts many truckers, who stop by to savor the good food. Besides indulging themselves by eating the meat, the customers also feast on the paçoca, peanut brittle, pork crackling and artisanal sausages, following the tradition of ancient drovers who, passing through Minas Gerais, used to stay overnight in the village at the time.*

RECIPE ▪ Sereno da Serra (to nibble on)

[Chef Beth Beltrão, from Viradas do Largo Restaurant, Tiradentes, MG]

Ingredients • *400g of cooked yellow cassava cut in cubes • 400g of serenada meat • 40g of good quality bottled butter* • preparation • 1. Fry the cassava to the point of crunchy. 2. Wash the meat slightly and drain it. 3. In a frying pan or a hot plate, place the butter and fry the meat stirring constantly. 4. Serve it in a small iron frying pan putting the meat on one side and the cassava on the other.

PRODUCT ▪ COFFEE ▪ TERROIR ▪ The Cerrado Mineiro has natural resources that enable the cultivation of one of the best coffees in Brazil, the Arabica. The altitude - about 1,000m -, the red soil with good organic matter and temperatures between 18°C and 30°C, with little chance of frost and rains only from October to April, help the flowering and formation of the grain. The ability of the producer in the handling of the coffee is also an essential aspect.

Producer ▪ **Baú Farm** [Lagoa Formosa] ▪ *The Baú farm is located on a plateau of 1,000m of altitude, in the Chapada da Lagoa Formosa. With over 700 hectares, the property belongs to Celia and Tomio Fukuda, and their children Durval and Lissa. The family produces gourmet coffees, from the Arabica type, by selecting the varieties of New World and Bourbon Red that stand out in the market, differentiated in terms of aroma and flavor. There is also the Tupi, which has a full bodied and fruity flavor. Also noteworthy is the coffee DOT – dried on the tree –, whose grain offers a concentration of flavors; only one lot of it is produced per year. The investment in technology - using modern machinery for depulping and drying the grains, which protects the coffee from having unwanted smells - and the qualification of the workforce were essential for the certification of the specialty coffee to win prizes and conquer the international market. Most part of the grains is exported to the Netherlands, Japan, Belgium, the USA and Canada. Tomio Fukuda told the Expedition team that the consumption has also grown in the domestic market, since Brazilians are increasingly appreciating more the taste of fine coffee.*

PRODUCT ▪ CANASTRA CHEESE ▪ TERROIR ▪ At the foot of Serra da Canastra, cows that graze on the hills provide the milk for the cheese. The technology, climate, vegetation and tradition of four generations contribute to consolidate the superior quality and exclusivity of this artisanal cheese made from raw milk. "The Canastra cheese is made of cows grazing in the pasture, a hilly terrain and the quality of our water," says producer and agronomist, João Carlos Leite. These characteristics give our cheese a unique flavor: strong, a bit spicy, dense and full bodied. It is produced on farms in the municipal districts of São Roque de Minas, Vargem Bonita, Medeiros, Bambuí and Piumhi.

Producer ▪ **Agroserra Farm** [São Roque de Minas] ▪ *Located at 1300m of altitude, the Agroserra farm belongs to João Carlos Leite, who is also the president of the Association of Producers of Cheese. In addition to excelling in all stages, João Carlos, a cheese lover, is the creator of the Royal Canastra cheese (or Canastrão), which has a yellow rind and a sweet taste, weighs about 7 kilos and needs 20 to 30 days to mature. Ronilda Aparecida da Silva and José Filho de Farias are the cheese makers in charge of the preparation of this product.*

Producer ▪ **Zé Mario's Farm** [São Roque de Minas] ▪ *In a small estate of 50 acres with 15 cows, lives the couple Jose Baltazar Silva, aka Mr. Zé Mario, and Mrs. Waldete, who are responsible for the Canastrinha cheese, which weighs about half kilo. The owner, Mrs. Waldete, is the one who makes the cheese. She said that she loves to stay in her little house, - the place where she produces the cheese -, and she is very jealous of it. Appearing in the documentary film "Mineiros and Cheese", they have already won several trophies, including first place in the Artisanal Cheese Contest of the State of Minas Gerais, in 2011. They have a certification and have been selling their cheese for two years, including at the Central Market of Belo Horizonte. The expedition team tasted their cheese. Very delicious!*

RECIPE ▪ Tasting of sweets from Minas Gerais ▪ 1 serving

[Chef Frederico Trindade, from Trindade Restaurant, Belo Horizonte]

Dulce de leche from Viçosa, mini green fig, guava sweet by Dona Zelia and cheese from Canastra

Ingredients • *3 slices of Serra da Canastra cheese • 2 tbsp of dulce de leche from Viçosa • 4 units of organic mini green figs • 3 chunks from a bar of goiabada cascão made by Dona Zélia*

Preparation • 1. In a square plate, place 3 pieces of Serra da Canastra cheese shaped as a triangle, 2 tbsp of dulce de leche, 4 units of organic mini figs and 3 chunks from a bar of goiabada cascão shaped as a triangle.

▪ Zona da Mata Mineira

Following this adventure through the countryside of Minas, the Expedition team left for the Zona da Mata, located between Rio de Janeiro and Espírito Santo. The Mata Atlântica was originally the dominant vegetation in the area. With time, it was devastated and nowadays it has been restricted to some areas of rugged terrain, characterized by tropical rainforest, which has among its species the pau-brasil tree, rosewood, palm tree, jequitibá and ipê. And on the hills, there are narrow valleys and some mountain ridges, like the Caparaó, on the border with Espírito Santo. In the eighteenth century, the city of Tiradentes, in the slopes of the Serra de São José – nowadays a National Heritage – stood out due to its gold production. Its name honors Joaquim José da Silva Xavier. In Tiradentes everything breathes history: the cobblestone streets, the walls of the churches, the old houses and the friendly people. Many visitors fall in love with the pieces of soap-stone, wood and fabric crafts. A program worth enjoying is to ride the steam train, which runs to São João Del Rey. But the highlight of Tiradentes is its food. Housed in a colonial house, the restaurant Virada's do Largo, owned by Chef Beth Beltrão, will not give up cooking on a wood stove. They have their own vegetable garden where they grow cassava, cabbage, beans and peppers, which are used in their dishes. One of the most sought-after recipes is the chicken with polenta and ora-pro-nobis, harvested in their yard. The famous local confectioners make the cone with dulce de leche, ambrosia, peanut brittle, among many other treats. In August, the quiet Tiradentes bursts in excitement with its Culture and Gastronomy Festival, which attracts people from all over Brazil and abroad. The programming includes cooking lessons, special dinners with renowned chefs and excellent regional cuisine. Very near Tiradentes is Ponte Nova, known for its recipes of guava paste with an intense color, a tradition passed from mother to daughter. Nowadays the town is also considered one of the most important centers for pig breeding, with modern techniques.

PRODUCT ▪ GUAVA PASTE ▪ TERROIR ▪ The tradition dates back to the early decades of the twentieth century: the old confectioners in Ponte Nova had the habit of making guava paste for their family consumption, selling just the "leftovers". Thus, the place became known as the "the guava town". The climate, with little rain, is good for the cultivation, since it directly influences the sugar content of the fruit (guava usually has a good 6-8 degree of sweetness). "But because of the soil, climate, fertilization and irrigation, the guava in Ponte Nova reaches its excellence: 9 degrees", says Christiana Mares Guia, from Christy's candy store. We emphasize the paluma variety, whose fruits are fleshier.

Producer ▪ **Christy's candy store** [Ponte Nova] ▪ *The history of entrepreneur Christiana Mares Guia is quite romantic. As a child, she nurtured a passion for Fernando, and as an adult, her dream came true: she married him and they moved to Ponte Nova. It was there that she learned how to make the guava paste with her mother-in-law, Dona Maria da Conceição, in the 90's. They were then producing the paste in small scale and were not able to meet the demand. Christy leveraged the business when she discovered that the fruit could be harvested all year by constantly irrigating the guava tree and pruning it frequently. Today she has about 1,500 goiabeiras and produces up to 2,000 kg of guava paste every month. She also sells it to delicatessens in São Paulo, Brasília, Porto Alegre and Salvador.*

PRODUCT ▪ SWINE ▪ TERROIR ▪ Amidst the mountainous geography of the Vale do Piranga, a micro-region that includes the town of Ponte Nova, there used to be the secular tradition of raising pigs in the back of the farm. This picture began to become more professional between 1970 and 1980, with the implantation of pig farms, with new facilities, nutrition techniques, management and genetic production. Today the region is considered a national model for pig breeding with modern technology, social responsibility and food safety.

Producer ▪ **São Francisco Swine Farm** [Oratórios, Ponte Nova] ▪ *Fernando Gomes Martins, owner and administrator of the San Francisco farm, states that there is a fundamental difference between the breeding of pigs and swine. In the first, you have the stigmatized image of the pigsty and in the second, a mechanized process where you work with the genetic improvement and a balanced diet of corn, soybeans, minerals and amino acids. "All the animal food is produced here," says Fernando. The result is higher quality, with 55% of lean meat. The cross-breeding is done by artificial insemination, with a 114-day gestation and weaning at 21 days. After the piglets reach 150 days of life, weighing around 107 kilos, they are sent for slaughtering. Another differential is the concern with the environment: the farm has a bio-digester, which converts the waste gases produced by the animals into carbon credits, producing the energy needed in the property.*

RECIPE ▪ Pork calf a la Juquinha da Serra ▪ **10 servings**
[Chef Ivo Faria, from Vecchio Sogno Restaurant, Belo Horizonte]

Pork calf • ingredients • *100g of carrots • 100g of celery • 100g of onion • 30g of chopped garlic • 10 pork calves • bay leaves to taste • thyme to taste • 400ml of white wine • 30g of paprika • 150g of cancassé tomatoes • 3 liters of meat broth • Salt and black pepper to taste* • preparation • 1. Cut the aromatic vegetables into little cubes. 2. Season the calf with salt, black pepper and herbs. 3. Marinate with 300ml of white wine and the vegetables overnight. 4. In a saucepan seal the calves. 5. Strain the marinade, add the vegetables and cook them along with the calves. 6. Add the paprika and the tomatoes. 7. Deglaze with 100ml of white wine and pour the broth over it little by little. Cook it slowly. 8. Finalize the cooking in the oven, basting constantly until it is brown and covered with glacé.

Garnish • ingredients • *30g of garlic • 40g of onion • 40g of butter • 500ml of meat broth • 150g of instant cornmeal • 50g of grated Parmesan cheese • 200g of Minas cheese in cubes • 350g of eyed bean • 1 bay leaf • 1 sprig of rosemary • 40ml of olive oil • chopped parsley and chives to taste • 1 bunch of ora-pro-nobis • salt to taste* • preparation • 1. Sauté the garlic and onion in butter, add the meat broth. 2. Bring it to a boil and add, little by little, the instant cornmeal, stirring constantly. Let it cook. 3. Correct the seasoning. 4. Remove from the heat and add the butter and the cheese. 5. Cook the beans with the bay leaf, rosemary, onion and a pinch of salt. 6. Once cooked, sauté the beans in olive oil with garlic and onion, add a little bit of the broth of the calves and correct the seasoning. Finalize it with parsley and chives. 7. Sauté the ora-pro-nobis in olive oil with garlic and season.

Completion • 1. Place the pork calf in the center of the dish, the polenta on one side, the ora-pro-nobis around it and the beans loose on the other side. 2. Pour some sauce over it.

RECIPE ▪ Duck breast, guava glacé and farofa of Brazil nuts ▪ **1 serving**
[Chef Paula Cardoso, from Espaço Bravo Restaurant, Belo Horizonte]

Ingredients • *100g of guava paste • 200ml of roti sauce • 300g of duck breast • 1 glove of chopped garlic • 100g of butter • 200g of panko flour • 200g of grated Brazil nuts • 1 guava • salt and black pepper to taste.*

Preparation • 1. Dissolve the guava paste in 200 ml of roti sauce and set aside. 2. Make small cuts in the skin of the duck breast in the shape of small squares and season it with salt and black pepper. 3. In a hot frying pan, fry the skin side of the duck breast. When golden, fry the flesh side. 4. Take it to the oven for about 8 minutes at 180 °C. 5. Remove it from the oven and with the help of a brush spread the guava glace on top of the duck breast, take it back to the oven for 2 more minutes, cut it into thin slices and sprinkle it with the guava glacé. 6. For the farofa, sauté the garlic in butter in a frying pan, add the panko flour and the grated Brazil nut. Season the farofa with salt and black pepper. 7. Cut the guava in four and fry it with butter until golden.

▪ Metropolitan area/Belo Horizonte

Reaching the state capital, the Expedition could feel the great legacy left by Oscar Niemeyer. Belo Horizonte was planned and built to be a landmark of modern architecture. At the invitation of Juscelino Kubitschek, originally from Diamantina and then mayor of the capital, in the 1940s, Niemeyer created the Conjunto Arquitetônico da Pampulha, by the shores of the lagoon, a piece of work full of curves and lightness. The development of this metropolis, affectionately called BH, contrasts with the provincial ambiance of historic colonial towns such as the beautiful Ouro Preto, Sabará, Tiradentes and Congonhas."Botecar" (hanging out in a pub) is the motto of the people from Belo Horizonte. It's no wonder that a few years ago the "Buteco" Food Festival was born, a fierce competition among the most delicious appetizers, counting with the participation of the public. The night life is very pleasant, and includes restaurants like Vecchio Sogno, of the renowned Chef Ivo Faria; Trindade Restaurant, owned by Frederico Trindade. All of the chefs, like Rafael Cardoso, have already worked in Spanish restaurants, are proud of the excellent local ingredients and use them, like the pork meat and cheese, found in the Central District Market and in Cruzeiro. At 50km from the capital, nailed in the mountains, are Itabirito and Amarantina, where we can still find old watermills that make corn flour with a special texture, the raw material of the famous pastel de angu, a cultural heritage of Itabirito, where, in June, the Feast of the Pastel de Angu takes place. Another treasure of this pleasant town is the Paraopeba grocery store, which preserves the solidarity in the supply chain among the producer, the merchant and the consumer. It is here that Mr. Chico Peixoto, from the neighboring district of São Gonçalo do Monte, sells his white cheese and makes his living.

PRODUCT ▪ WATERMILL CORN FLOUR ▪ TERROIR ▪ In small towns of Minas Gerais, such as Amarantina and Itabirito, the tradition of using watermills to make corn flour still lives. The springs of clear water and many streams provide the endurance of this old activity. The manufactured product cannot be compared to the good consistency and texture of the handmade corn flour, where the grains of corn are ground between stones. "The typical pastel de angu of the region does not come out as good if it is made with the corn flour from a package," says Roney Antonio de Almeida, aka Roninho, owner of the Paraopeba grocery store. "Even the mineiro porridge has a very special taste if it is made with the watermill corn flour", he adds.

Producer ▪ **Dona Virgínia's Moinho D'água** [Amarantina] ▪ *With over 200 years of activity, the watermill of Dona Virginia's property, Amarantina, is a remnant. At 87 years old, the owner says that she has always produced corn flour and sold her product in the neighborhood. One of her clients is the Paraopeba grocery store. Like in many towns in Minas Gerais, Dona Virginia's work is done intuitively and following the wisdom that she gained through generations. So she knows if the equipment needs adjustment just by listening to the noise it makes while in operation. Until this day, she sieves the grains of corn to remove the impurities before they go into the mill. This natural environment is complete with the many chickens pecking in her yard, a vegetable garden and an orchard of orange and tangerine trees.*

PRODUCT ▪ WHITE CHEESE ▪ TERROIR ▪ Few places in Minas Gerais still keep its natural pasture with syrupy grass, a rarity that, for producers, is a differential that has a direct influence on the taste of the cheese, like the white cheese made at Vargem Velha ranch, in São Gonçalo do Monte. Other factors for the quality of the cheese are the dry weather and the milder temperatures. It is the demand that makes Mr. Francisco Peixoto Neto, aka Chico, produce the white cheese: many mineiros like to eat it with guava paste for breakfast.

Producer ▪ **Vargem Velha Ranch** [São Gonçalo do Monte, district of Itabirito] ▪ *Upon arriving at the Vargem Velha ranch, the first image seen by the Expedition team is 20 cows and some calves loose on the natural pasture, treated with great affection by Mr. Francisco Peixoto Neto and his wife Mrs. Maria de Lourdes Peixoto. Their livelihood comes from the animals. With the milk collected every day they make 18 pieces of cheese, using curdled milk as their yeast. "Instead of putting the cheese made from raw milk to cure on the shelf, we put it in the freezer," says Chico. The hospitable couple insists on offering their visitors some of their cheese, coffee and a good chit-chat.*

GROCERY STORE ▪ Mercearia **Paraopeba** [ITABIRITO] ▪ *Paraopeba grocery store is one of those from the old times. It still works on the basis of sale on credit and merchandise exchange, providing sugar to Mr. Vicente so he can make his guava paste, giving money to Mrs. Virginia so she can plant corn and pay back with the watermill corn flour. Roney Antonio de Almeida, aka Roninho, successor of Mr. José Augusto, his father, in business and philosophy, has a very authentic concept linked to the rescue of regional identity. His principle is to encourage the producers, like Mr. Chico Peixoto, who makes the white cheese. The hundreds of items sold at the store are made in the vicinity. "Most of the small suppliers do not have a place to sell their merchandise; we encourage the handicraft production so that it does not end," said Roninho to the Expedition team. "If there is nobody to buy their work, it will be impossible for these people to produce, and the tradition will be lost." The grocery store also serves as a meeting point between producers and loyal consumers. After appearing on the documentary film produced by Rusty Marcellini, the Paraopeba grocery store got some famous guests such as Chef Roberta Sudbrack, who periodically gets various items from them.*

MARKETS

District Market of Cruzeiro ▪ *Located at Cruzeiro neighborhood, the market was born in 1974 aiming to be a safer place for merchants who used to set their stalls in the streets. Nowadays a stall inside the market is closely fought. There you can find fresh produce, eggs, meats, beverages, spices, housewares, besides a crafts fair and restaurants. The market became a meeting place, frequented by chefs, who praise the quality of the products. Like the creative Paula Cardoso, who likes to buy her Italian tomatoes without pesticide from Dona Guiomar, at stall 12. The Nossa Senhora de Montserrat store, of Japanese owners, has pioneered the sale of oriental ingredients. Another highlight is meat shop called A Churrasqueira, owned by Wayne Stochiero. "Around 2,000 people visit the market each day, and this number may increase since the place is booming," says the merchant.*

Central Market ▪ *For anyone who wants to know a little bit about the culture and cuisine of Minas Gerais, a good choice is to visit Belo Horizonte's Central Market, which was opened in 1929. In a large space with over 400 shops, you can find crafts, medicinal herbs, ingredients and food from many regions of Minas Gerais. There are lots of famous appetizers, great cachaças and cold beer to taste. The market turned out to be a tourist attraction, with restaurants, bars and concerts, making it a must-see place for people visiting the capital and who want to experience pleasant moments of the "mineiro way of living", sharing good chat and delicious food.*

RECIPE ▪ Roman Gnocchi with watermill corn flour and octopus tentacles ▪ **1 serving**

[Chef Rafael Cardoso, from Atlântico Restaurant, Belo Horizonte]

Ingredients • *250ml of whole milk • 100g of watermill corn mill • 25g of unsalted butter • 30g of grated Parmesan cheese • 2 large octopus tentacles • 30ml of extra virgin olive oil • 60g of grape tomatoes • 30g of Portuguese olives • 3 spoons of tomato sauce • salt and pepper to taste • herbs for decoration.*

Preparation • **1.** Bring the milk to a boil and pour the cornmeal very slowly through the gaps of your fingers, stirring constantly with a beater. **2.** Cook for 30 minutes, stirring to avoid sticking. **3.** Add the butter and the cheese until completely emulsified. Adjust the salt, if necessary. **4.** Spread the mixture on a baking sheet, evenly, making sure that it is approximately 1.5cm thick. Let it cool completely and put it in the fridge for at least 2 hours. **5.** After it cools down, cut it with a ring of 5cm and brown both sides in olive oil. **6.** Brown the octopus tentacles in olive oil, correcting the salt and pepper. **7.** In a separate skillet, sauté the tomatoes and olives in olive oil. Finalize with tomato sauce. **8.** Serve the tentacles over two golden gnocchi. Garnish with tomatoes and finalize with olive oil and fresh herbs.

2. The State of Rio de Janeiro

The Corcovado Mountain and the beaches of Rio are nowadays international symbols, but there is much more to enjoy in the state of Rio de Janeiro, which is covered with a diverse and lush topography, in addition to a lot of history tied to the imperial era.The city of Rio de Janeiro had great political importance in the past. It hosted the Portuguese crown when João VI was transferred to Brazil, in 1808. It remained the federal capital until 1960, when Brasília was then inaugurated. The good heyday of the monarchy can be perceived when one drives up the mountains towards Petropolis, where the royal court used to spend their vacation to enjoy the European climate found there. The warm temperatures in cities like Teresópolis and Nova Friburgo are perfect for the production of vegetables and fruits (various from organic farming) and cheeses, like the one made from goat milk. The Gastronomic Expedition team checked on the spot the great diversity of topography and climate that yields special ingredients. Many tourists are attracted to Agulhas Negras because of its wildlife sanctuary and the possibilities for adventure in the Parque Nacional de Itatiaia. Others are lured by the tranquility and good food from places like the charming village of Visconde de Mauá, where the breeding of trout found ideal conditions. The land of the south-fluminense region of Vale do Paraíba developed the first coffee plants in cities like Piraí. The old coffee economy is exquisitely preserved: many farms kept their original architecture and became inns that welcome guests with traditional breakfasts and dinners from that period. Nowadays, some products such as the macadamia nut are part of the local economy. Another region that saw its moments of glory in the eighteenth century was the Vale do Açúcar (Sugar Valley), named after its sugar plantations. The local towns, such as Quissamã, stand out in the production of sweets and are famous for their gourmet cachaças from artisanal distilleries. All these fluminense gems, found in the markets, show Rio's gastronomic variety. A state privileged by the hospitality of its people and, at the same time, by the richness of its vegetation and coastline.

▪ Serrana Region

The first stop of the Expedition was the mountainous region (Serrana Region), privileged by the landscape of the Mata Atlântica (Atlantic Forest), with beautiful mountains, trails and waterfalls. During the year, temperatures range from 8°C to 25°C, which provides a mild climate, excellent for those who like to enjoy the chilly temperatures. The local charm is complete with the mist that covers the mountains and intensifies this wintry atmosphere. The Portuguese royal family was delighted with this scenario, especially Pedro II, who built the Imperial Palace in Petrópolis, in the nineteenth century, as a summer resort. Over time, the refinement of the nobility spread throughout the "Cidade de Pedro." Today there are inns, hotels and upscale restaurants, run by renowned chefs who prepare their dishes with selected local ingredients. The gastronomic center of Itaipava, district of Petrópolis, which houses the Hortomercado and the production of organic products, demonstrates the vocation of the region for vegetables and greens. The RJ-130 road, affectionately known as Terê-Fri, is 68km long in an area that preserves the native forest. Along the way there are many producers, especially of greens without pesticides and good goat cheese. To encourage the rural tourism, the Tourist Circuit of Ponte Branca was created, including visits to farms, tastings and eco-tours. This bucolic route connects Teresópolis to Nova Friburgo. One of the highlights of the city named after the Empress Teresa Cristina, wife of Pedro II, is the Parque da Serra dos Órgãos, a perfect place for trekking lovers. Nova Friburgo - the "Brazilian Switzerland" - received its name from having sheltered, in 1818, the first colony of Swiss from the canton of Fribourg. In this atmosphere, you can appreciate a delicious fondue with a good wine and enjoy the fresh air of the mountains.

PRODUCT ▪ ORGANICS ▪ TERROIR ▪ The dry, seasoned weather and altitude in the mountainous region - situated between 700 and 800m of altitude - favors the production of greens, among which stand out the varieties of lettuce (Boston, smooth-edge, Roman, purple and green frisee and crisp mimosa) and arugula. The weather conditions, combined with the fertile and aerated soil, composed of good organic matter and well-structured physically, show the productive potential of the locality.

Producer ▪ **Cultivar Ranch** [Nova Friburgo]

Located in an area of native forest, the Cultivar ranch is 12km far from downtown Nova Friburgo. At the entrance you can already appreciate the owners' care: a lovely path of sunflowers leads to the residence. In 1992, Jovelina, the owner, affectionately called Dona Jo, a former employee of the Brazilian Institute of Geography and Statistics, and Luis Paulo Ribeiro, a chemist, began their activities of organic agriculture. They first began their production planting tomatoes and carrots and nowadays they produce over 40 varieties, among them beets, lettuce, broccoli and parsley. Their customers are the major supermarkets in Nova Friburgo and the street market in Ipanema, on Tuesdays, in the state capital. The ranch is part of the Tourist Circuit of Ponta Branca, and the couple also develops the project "Caring for the Earth", composed of eco and educational tours for children and youth.

Producer ▪ **Moinho Ranch** [Itaipava, Petrópolis] ▪ *Since 1989, the Moinho ranch has been growing organic vegetables and greens in a valley surrounded by the Mata Atlântica, 750m above sea level. The vegetable gardens are irrigated with pure water drawn from a 103-meter deep source. To plant seedlings and grow more delicate vegetables they use greenhouses, which protect the plants against heavy rains and the summer heat. They also grow them in tunnels, with drip irrigation and application of compost (organic fertilizer). "One of the highlights that pleases the restaurant market, is the mini arugula, with tender and crispier leaves than the regular one", says agronomist Eduardo Guimarães da Costa. To be ready for consumption, the arugula goes through three washing processes. The ranch, which also works with organic herbs and breads, supplies supermarkets in Rio and offers home delivery in Petrópolis and in the south area of the capital.*

PRODUCT ▪ GOAT CHEESE ▪ TERROIR ▪ Breeds of dairy saanen and brown Alpine goats, typical of the European Alps, are well developed in the Serrana region because of the altitude and mild climate - temperatures up to 25°C provide a better quality cheese.

Producer ▪ **Genève Farm** [Teresópolis-Friburgo Road] ▪ *Before entering the market for goat rearing, Reinaldo Pires, graduated in rural zoo technology, and his wife, Rose Pires, a veterinary, trained on a cheese farm in France. In 1995, they built the Capril Genève farm, importing semen from Europe and the United States and using artificial insemination in 10% of the herd for genetic improvement and increase in milk production. The herd consists of 70% of saanen and 30% of brown Alpine goats. For the monthly production - about two tons of goat cheese - French machinery, such as the cold chambers for ripening, is used. Following the European pattern, they produce the charolais, crottin, pyramide, chevrotin, Boursin, Brique, Sainte-Maure and white types. The farm has a restaurant and a store open to visitors and they distribute to markets in the state of Rio de Janeiro. Chefs like Claude Troisgros, from the Olympe, and Roland Villard, from Le Pre Catelan recommend their cheeses.*

MARKET

Municipal Horto Market of Itaipava ▪ *Opened in 1989, the Horto market is a haven for those seeking fresh, organic products, grown in rural Itaipava, district of Petropolis, home to the Vale dos Gourmets. There are dozens of restaurants with varying types of food, such as the charming Gastronomia Barão, owned by Chef Alessandro Vieira. Everything is carefully arranged at the Hortomercado, in beautiful colors and impeccable cleanliness. The nearly 40 stalls - for producers well organized into nine associations - sell the horticultural products of the region, besides fish, cheeses and flowers. Most notable are the vegetable and green leaves stall, produced by Mrs. Valeria, and Mr. João Luiz da Silva's stall that sells trout and tilapia. In terms of variety and quality of seedlings, Katsumoto's stall has the most different specimens of plants: aromatic and ornamental herbs, mustard, Dutch tomato, white chayote, edible flowers such as the monk's cress and the sunflower sprouts. A curious product is the pé-de-ovo (egg's foot), which resembles the flavor of jiló and the appearance of a yellow egg.*

RECIPE ▪ Gammon of smoked duck with tangerine and organic mini vegetables with taioba sauce ▪ **1 serving**

[Chef Barão, from Barão Gastronomia Restaurant, Itaipava, Petrópolis RJ]

Gammon of smoked duck • ingredients • *1 duck breast of about 200g • ground black pepper to taste • shavings of ½ tangerine • 100g of coarse salt • 1 roll of gauze bandage of 10cm x 1,80m and string to wrap • leaves and twigs of tangerine to smoke* • preparation • 1. Season the duck breast with the ground black pepper and the tangerine shavings. 2. In a round dish, place half of the salt, then the seasoned duck breast with the fat side down and cover with the remaining salt. 3. Protect the dish with plastic wrap and refrigerate for 48 hours. 4. Wash the duck breast in water and dry thoroughly with paper towels. Wrap the gauze bandage using pressure, tie it with a string and hang it in a cool place (about 19°C) for 50 days. 5. After this time, remove the gauze bandage and take the duck to the smoker with the tangerine leaves and twigs for about 20 minutes. 6. Let it cool and refrigerate.

Tangerine sauce • ingredients • *50g of sugar • 100ml of water • 50ml of tangerine juice • 30ml of balsamic vinegar • 10g of butter* • preparation • In a saucepan, place the sugar and water, light the fire and let it brown. Add the tangerine juice, the balsamic vinegar and reduce. Finally add the butter to the sauce to shine. Set aside.

Side dish • ingredients • *1 mini radish • 1 mini carrot • 1 mini beet • 1 mini zucchini • 1 mini black turnip • 1 mini Brussels sprout • 1 mini chayote • 1 portion of alfalfa sprouts • 1 portion of sunflower sprouts* • preparation • 1. Steam the mini vegetables.

Taioba sauce • ingredients • *1 fresh leaf of taioba without the stalk • 500ml of water • Salt • 1 tsp of chopped onion • 3 tbsp of olive oil • 70ml of cream • salt and black pepper to taste* • preparation • 1. Coarsely tear the taioba leaf and soak it in salted water for 20 minutes. After that, drain the water and set it aside. 2. In a saucepan, place water and bring it to a boil; add the taioba and leave it for a minute. Drain and set aside. 3. Sauté the onion with the olive oil until golden, add the taioba and then the cream, the salt and the black pepper. 4. Cook for 5 minutes. Then puree it in the blender. 5. Return the sauce to the pan. Poor in filtered water until it thickens. **Note:** Once the gammon is ready, cooking time is approximately 45 minutes.

Beer ▪ Product/producer ▪ **The oldest beer** ▪ *Located in Petrópolis is Brazil's first brewery, Bohemia, opened in 1853 by the German Henry Kremer. The drink was produced with the characteristics of his homeland, a little bit bitter. Six thousand bottles used to be distributed in the region in carts and wheelbarrows. Since then, the lager has been adapted to the Brazilian's taste and has become lighter. Recently, the old factory was transformed into interactive Beer Museum. In it you can enjoy more than 20 environments, which appear in the history of the drink, including Mesopotamia and Ancient Egypt to the present day. There is a room dedicated to honoring the master brewer, with the utensils used by him over time, including the ingredients that make this drink so appreciated by Brazilians. Another room shows the production steps in a playful manner. People can still enjoy, besides the known icy blondes, brunettes and darker, full-bodied beers, at the proper temperature. In 1999, Bohemia became part of the portfolio of AmBev (Americas Beverages Company), which recently opened the Museum of Brewing at the headquarters where the first beer brand was born in Brazil.*

▪ Vale do Café

It was in the south-fluminense region of Vale do Paraíba, between the mountains of Mantiqueira and Araras, in mid-nineteenth century that the coffee plantations, whose product has become the main export of the country, started and developed. Because of that, the region is also known as Vale do Café, the Coffee Valley. Although today the grain is no longer produced, the legacy of the coffee barons of the time can be recollected in visitations to the numerous historical farms that offer lodging, banquets and soirée, everything in a setting from that time. Currently, agricultural activities have diversified. Among the main products grown in the municipal district of Piraí is the macadamia nut, which became an alternative in the '80s to replace the coffee. It is a production of high quality, which was proved by the visit of the Gastronomic Expedition . Piraí, a word of Indian origin, meaning "rio dos peixes" (fish river), explains the activity of another highlight of the city: the breeding of tilapia. In October, to promote these two local ingredients, people hold the Festival of Culture and Cuisine, where tourists can taste the dishes of these specialties developed by restaurants, and participate in cooking classes besides following the culinary competition, whose jury is composed of chefs from Rio and all over Brazil.

PRODUCT ▪ MACADAMIA ▪ TERROIR ▪ Much appreciated as an appetizer and also in the making of desserts and specialty dishes, the macadamia nut, which balances sugar and natural oils, is originally from Australia. That is why its planting did very well on Piraí land, since the latitude and altitude are the same as the ones from its country of origin. The water and deep soil in Piraí are also responsible for the good quality of the macadamia nut. In Brazil the consumption of the nut has increased since it was revealed that it contributes in the reduction of cholesterol levels and cardiovascular disease.

Producer ▪ **Tribeca Santa Marta Farm** ▪ *The farm, established in 1982, made its first successful export of macadamia nut in Piraí, and it was the result of the dedicated work of the owners Luis Carlos Tavares and Marcos Reis. The company, very well structured, produces high quality seedlings in nurseries and cares for the handling, harvesting, processing, packaging, marketing and distribution, and provides technical assistance to producer partners. The property is located in a beautiful setting overlooking the valley. It is surprising to contemplate the cultivation of 100,000 plants, handpicked by women, who wash the leaves to see the fruits. They separate the organic surface, leaves and bark, which become a fertilizer. The planting - it is important to note - is self-sustaining, since the plant does not kill the organic matter of the soil. The drying must be slow, with controlled temperature in order to achieve the moisture of 1.5%. The Tribeca farm exports to countries in Europe, the USA and Japan.*

RECIPE ▪ Macadamia sphere ▪ **12 servings**

[Chef Felipe Bronze, from Oro Restaurant, Rio de Janeiro RJ]

Ingredients • *200g of macadamia • 5g of garlic • 200g of ice made from filtered water • 120ml extra virgin olive oil • 20ml of apple vinegar • 20g of lemon • 9g of sodium alginate • 7g of calcium gluconic acid • 1,5l of mineral water • xanthan gum, if necessary. • 2g of salt and ground black pepper to taste* • Preparation • 1. Mix in a blender the macadamia with the clove of garlic, ice, extra virgin olive oil, vinegar and the lemon until you get a very smooth cream. Season it with salt and ground black pepper. Set aside. **2.** Prepare the alginate bath: in a blender mix water with the sodium alginate for 1 minute and then allow 24 hours to remove the air from the liquid or use a vacuum machine. **3.** To make the spheres, mix the calcium gluconic acid with the macadamia cream and beat it in a blender for 3 minutes. Remove all the air. **4.** In the prepared alginate bath, make spheres with the cream, approximately 5 ml (use a sphere spoon). Leave them in the bath for 3 minutes, turn the spheres over and leave them for 2 more minutes. Wash them with mineral water. **5.** If there is any difficulty forming a perfect sphere, adjust the texture with mineral water or use the xanthan gum to thicken. **6.** Set aside the spheres in extra virgin olive oil. **7.** At serving time, heat water in a pot at 55°C. Place the spheres and leave them for about 3 minutes. Serve at once. Note: sodium alginate, calcium gluconic acid and xanthan gum are found at http://gastronomylab.com

▪ Agulhas Negras

The gastronomic adventure went on to a wildlife sanctuary; the region of Agulhas Negras takes its name in reference to the highest peak in the Parque Nacional Itatiaia, with 2,791m of altitude, nailed in the Serra da Mantiqueira. This mountainous terrain provides adventure tourism, including hiking and climbing. The charming landscape houses a diversity of trees such as the jequitibá and araucaria, the latter giving the appreciated fruit of the pinion. Its valleys are full of waterfalls, with crystalline and cold waters, creating ideal conditions for the trout. Amid this beautiful nature, Visconde de Mauá, at 1,200m of altitude, stands out for its charms. A quiet town founded in the nineteenth century by Commander Henrique Irineu de Souza, son of the Visconde de Mauá. Although the village is at the border between Minas Gerais and Rio de Janeiro, this district is officially part of the city of Resende. The weather, with mountain temperatures, is a lure for visitors, especially in the winter. This chilly weather goes well with the tasty mineira cuisine, served, for example, at the restaurant Gosto com Gosto, one of the best in Brazil. Chef Monica Rangel has lived in the village for many years and she makes sure to have in her garden the vegetables and seasonings she needs to create her dishes, in addition to baking breads and making homemade chicken, pork and lamb sausages, her own brand. Beside the restaurant, Monica and her husband, Jose Claudio, have a shop that offers cachaça and delicious sweets like the lemon peel, dulce de leche, ambrosia and pumpkin. In Visconde de Mauá, the Festival of the Pinion takes place every May, and there is a competition with savory and sweet dishes, having the pinion as their base. Some of the country's renowned chefs participate in the jury.

PRODUCT ▪ TROUT ▪ TERROIR ▪ From the salmon family, the trout needs cold temperatures and running and potable water to survive. Serra da Mantiqueira offers suitable conditions for its production, with temperatures of 7 °C (winter) to 20 °C (summer). In Brazil, only the rainbow kind is bred, which has a delicate and tasty meat. The technique used is fattening, feeding the fish day and night in well-lit tanks for about four months. When they reach 250 grams, they are transferred to the slaughter tank. Initially, the embryos used to come from California, USA. Nowadays, embryos from Campos do Jordão are also used. In addition to Visconde de Mauá, there are breeders in Petrópolis, Teresópolis and Friburgo.

Producer ▪ **Santa Clara Trout Tanks** ▪ *The trout tanks are situated at 1,400 m of altitude, 8 km from the town of Visconde de Mauá. Operating since 1984, the breeder, Rogério Nascimento, stands out for the quality of his trout. The number of fish in each tank is limited so they can grow healthy. After slaughtering, done in a way that the fish do not suffer any stress, they are immediately frozen so the meat is tender and doesn't lose its flavor. The highlight is the pink or salmon trout, which is fed a diet containing beta-carotene, a nutrient the salmon swallows while going up the ocean currents to spawn and, thus, getting its pink color. Open to visitation, the site has a restaurant where you can choose the trout you want to eat. You can take home the frozen, smoked or pâté fish. The trout site also sells to restaurants and inns in the region of Resende.*

RECIPE ▪ Pink trout a la Rosemary from Visconde de Mauá ▪ **1serving**

[Chef Mônica Rangel, from Gosto com Gosto Restaurant, Visconde de Mauá RJ]

Trout • ingredients • *1 filet of pink trout (150g)* • *salt and pepper to taste* • preparation • **1.** Brown the skin side of the trout on a hot plate and remove the skin and slightly brown the other side.

Sauce • ingredients • *1 glove of minced garlic* • *1 dessert spoon of unsalted butter* • *8 sprigs of fresh rosemary* • *50ml of fresh cream* • preparation • Fry the garlic in the butter, add rosemary and the cream. Let it thicken slightly and poor it over the trout. Serve it with puréed cassava.

Cassava purée • ingredients • 150g of cassava • 100ml of milk • 3 tbsp of grated Parmesan cheese • 1 tbsp of butter • salt to taste • Sprigs of rosemary for decoration • preparation • **1.** Cook the cassava in the milk. Mash it well and add the cheese, butter and salt. **2.** Decorate the purée with the rosemary sprigs.

Completion • In a dish, arrange the cassava purée and, over it, place the trout cut in half. Finish the dish with the sauce.

▪ Vale do Açúcar

Heading to the Vale do Açúcar (Sugar Valley), the Expedition team was enchanted by the story of the cultivation of sugarcane in northern Rio de Janeiro that has been developed since the eighteenth century. The landscape of these flat and fertile lands changed with the plantations of sugarcane and the construction of several mills, many of them specialized in the production of spirits. Until this day, cachaças from the region are very famous and can be appreciated at the Festival of Artisanal Cachaça of Quissamã, that takes place in June. Transformed into museums open to visitors, many of the old farms are an attraction for tourists to come in contact with the memory of coffee plantations. The Machadinha farm, built in the nineteenth century by the Visconde de Uruaí, and registered in 1979, housed the first mill to use steam machines in Latin America, built in 1877. Such was its importance, that Pedro II was present at the inauguration. The descendants of slaves who worked in the plantations still live on the site, forming a quilombo community. A cultural center preserves the traditions of African origin such as the jongo, a barnyard dance. The farm also houses the Casa das Artes (House of Arts), linked to the project "Raízes do Sabor" (Roots of Taste), whose purpose is to rescue the African descent cuisine. Hence, it keeps a restaurant with recipes like bolo falso (fake cake - cassava flour, cheese, eggs, coconut and milk) and the sanema (a sweet made with cassava, eggs, coconut and whipped butter). An interesting dish is the capitão do feijão (captain of beans – a spicy small cake), which was formerly made with the leftover beans from the master's house to which the slaves mixed flour, making small cakes that they ate with their hands.

PRODUCT ▪ CACHAÇA▪ TERROIR ▪ The Vale do Açúcar (Sugar Valley), with its flat topography favors the planting of sugarcane, facilitating the use of machines and preventing erosion. The soils of the Mata Atlântica are fertile and, associated with dry and cold climate, produce sucrose-rich sugarcane, which contributes to enrich the flavor and aroma of the cachaça. The use of copper stills gives rise to an artisanal product, with the possibility to extract only the "heart" of the drink, that is, its essence, ignoring the initial 10% (head) and end (tail). To improve the local cachaça, some courses and seminars are organized on the production processes.

Producer ▪ **São Miguel Mill** ▪ *Agricultural engineer and producer, Haroldo Cunha Carneiro is the seventh generation owner of São Miguel mill.*

A portion of the sugarcane plantation uses an organic fertilizer, which is made with vinhaça, the residue of the sugarcane itself. Besides the cachaça São Miguel, their flagship, the mill produces molasses, rapadura (a block of brown sugar) and brown sugar, making the most of the potential of the plant. In the production of cachaça São Miguel, the yeast used comes from the sugarcane itself. Ready, the cachaça matures in wooden barrels such as umburana, cherry tree, balsam, French oak and peanuts, which give it a special and peculiar taste. Built in the early twentieth century, the main house of French neoclassical style enchants everyone who visits it to taste the cachaça.

RECIPE ▪ **Fried milk with cachaça toffee** ▪ **1 serving**

[Chef Roberta Sudbrack, from Roberta Sudbrack Restaurant, Rio de Janeiro RJ]

Ingredients • *1 ½ liters of whole milk • 1 small pieces of orange and lemon peel • 5 egg yolks • 9 tbsp of sugar + 100g • 5 tbsp of cornstarch • Wheat flour • 4 brown eggs • Oil for frying • 100ml of dulce de leche • 2 coffee spoons of cachaça* • preparation • **1.** Boil 1 liter and 400ml of milk with the orange and lemon peel. Set aside the remaining 100ml. **2.** Beat the egg yolks with 9 tablespoons of sugar until it gets very white. Add the cornstarch and the reserved 100ml of milk and mix well. **3.** Remove the milk from the heat and add it gently to the mixture of eggs, sugar and cornstarch, bit by bit, and constantly stirring. **4.** Return it to a low heat and cook just until it thickens. Do not stir too much, just enough not to stick. **5.** Place it immediately in a dish with a minimum height of 3cm. **6.** Let it cool for at least 4 hours. **7.** Remove the mixture from the dish, cut it, pass it in the flour and then the beaten eggs and fry in oil not hot. Pass the remaining sugar and brown it with the help of a torch until it is crispy **8.** Heat the dulce de leche in very low heat until it gets very soft. Add the cachaça, mix well and serve with the fried milk.

▪ Metropolitan area/Rio de Janeiro

Walking on the sidewalks of Ipanema is like being inside a musical, full of grace, dancing to the tune of "The Girl from Ipanema". Rio de Janeiro has a rhythm, present in the samba-enredo, a trademark of samba schools and considered a Brazilian immaterial heritage. The Gastronomic Expedition team could feel this spontaneous rhythm which is heard everywhere, on the social circles and in the popular pubs, which are true local institutions. Sacred gathering places where people drink beer and eat a small cod cake - legacy of the strong Portuguese influence. Among the many tidbits is the prestigious bean cake, an allusion to the famous feijoada. True sculptures of nature, the Sugar Loaf and Corcovado make the relief of Rio even more feminine. And as sacred as profane: Christ the Redeemer, with open arms to Guanabara, besides protecting the faithful, is among one of the Seven Wonders of the Modern World. The capital is a national reference in gastronomy. In it, some classic dishes were born such as picadinho da meia-noite (midnight stew), conceived in 1950, at the charming Hotel Copacabana Palace. Among the postcards of Rio is the secular Colombo Confectioners, which opened in 1894, and serves traditional delicacies such as the shrimp empadinha and the casadinho. Some of the must-see attractions are the traditional markets, where one can find everything, and the organic fairs, a pioneering initiative that favors the industry's growth and helps cariocas keep their healthy lifestyle. Based in Rio are chefs of undisputed fame - using Brazilian ingredients with excellence - such as the irreverent and award-winning Roberta Sudbrack and the creative chef Felipe Bronze, from the Oro Restaurant. And, of course, the renowned Claude Troisgros, the most carioca French there is, and his son Thomas, who together run the Olympe and the Trattorie CT. Claude's latest venture, the trattoria, makes reinterpretations of classic recipes from Italy, made and served the French fashion. The idea has an explanation: Claude's grandmother is Italian. Here's a little secret from the Troisgroses: fish and seafood served in their restaurants are purchased in Mercado São Pedro, in Niterói, and that is from where the sandperch - one of the recipes in this chapter - came. Thomas prepared it "a la nonna Ana" mode.

STREET MARKETS AND MARKETS

Leblon's Organic Street Fair ▪ *In the square Antero de Quental, on Thursdays, you can find the Leblon street market. Although small, with about 30 stalls, it attracts visitors for the quality of its products. It is part of the Carioca Circuit of Organic Street Markets, sponsored by the Department of Sympathetic Economic Development of the City of Rio de Janeiro (headquarters) and the Association of Biological Farmers of the State of Rio de Janeiro (Abio). On Saturdays there are also street markets in the neighborhood of Glória, in Peixoto and at the Botanical Garden; in Ipanema, on Tuesdays and in Tijuca, on Thursdays. The producers, many of them from family agriculture - mostly in the mountainous region of Nova Friburgo, Teresópolis and Petrópolis - sell their products directly in these markets, without using the middleman. These are products such as breads, quinoa, soybeans, cocoa, flaxseed, gluten-free biscuits. At the stall Vivo & Orgânicos (Live & Organic) you find delicious juices to taste.*

The traditional Cadeg ▪ *In its fiftieth anniversary, the Centro de Abastecimento do Estado da Guanabara (Cadeg - Supply Center of the Guanabara State), which is already an Immaterial Heritage of the state, received the name of City Market. Opened in 1962, in the neighborhood of Benfica, it is a huge warehouse of a hundred thousand square meters, offering a great selection of fruits, vegetables and grains. It is the largest distributing center of flowers and plants in Rio de Janeiro. Beloved by all, the Cantinho das Concertinas, a Portuguese restaurant commanded by Mr. Carlinhos and his wife, sells delicious codfish balls - the capital's symbolic delicacy - and he promotes a typical festival of his homeland every Saturday, with lots of dancing and grilled sardines.*

Cobal do Humaitá ▪ *Cobal is a market where you can find everything from fresh fruits and vegetables to natural products such as honey, propolis and pollen to home furnishing stores. It is also a meeting point to the night crowd, with nice choices of restaurants and bars on the outside area around it where you can drink beer, eat pizza or Japanese food. At Cobal there are delicatessens, florists, and wine shops - whose professionals help in your wine choices. They also offer a good espresso.*

The attractions of Niterói ▪ *The Guanabara Bay separates the state capital from Niterói, a city founded in 1573 in order to protect the Portuguese from attacks by pirates, who came in search of pau-brasil, a valuable wood at the time. Niterói, a Tupi name, means "winding bay". Among the city's attractions is the Museu de Arte Contemporânea (Museum of Contemporary Art - MAC), designed by Oscar Niemeyer, which seems to look at the immensity of the sea. Another attraction is the Mercado de Peixes São Pedro (San Peter Fish Market).*

Mercado de São Pedro ▪ *For over 40 years, it is famous for being the biggest fish market in the State of Rio de Janeiro. A reference in fresh fish and seafood from the region of Lagos (Lakes), especially in Búzios and Cabo Frio, the Mercado de São Pedro is frequented by both locals and by celebrity chefs such as Thomas Troisgros, from the renowned family of chefs. "It's the best place to buy fish in Rio," he says. Every day, at 2am, a fish auction takes place there – the ones who get there really early place the highest bid and take the best fish. The market, however, opens at 6am. The offer is great: snapper, tuna, octopus, mussels, sardines... but fish like the bass, sand perch, bream and grouper are the most sold. Upstairs are the bars and restaurants that prepare fresh fish recently purchased by customers, a privilege.*

RECIPE ▪ **Sanperch with Oxalis** ▪ **4 servings**

[Chef Thomas Troisgros, from the Olympe Restaurant, CT Trattorie, CT Brasserie and CT Boucherie]

Sandperch • ingredients • *4 portions of 180g of sandperch • Salt and pepper to taste*

Sauce • ingredients • *1 minced onion • 125ml of dry white wine • 60ml of dry Martini • 125ml of fish stock • 180ml of cream • ½ tbsp of butter (to finish the dish) • 100g of oxalis (to finish the dish)*
Juice of ½ lemon (to finish the dish) • Salt and pepper to taste •

preparation • **1.** Place the onion, the white wine, the dry Martini, the fish stock and reduce the sauce over low heat until it is almost completely dry. **2.** Add the cream and let it boil. **3.** Season and whisk. Set aside.

Vegetables • ingredients • *5g of mini carrot • 5g of mini cauliflower • 5g of mini onion • 5g of mini French string beans • 5g of mini broccoli • 5g of mini zucchini • 5g of fresh peas • 1 tbsp of olive oil • 5g of sugar to caramelize • Salt and pepper to taste* • preparation • **1.** Wash and clean the vegetables. **2.** Sauté all vegetables in a frying pan with olive oil, the sugar and caramelize them well. **3.** Season with salt and pepper. Set aside.

Completion • **1.** Heat the sauce and add the butter, the oxalis and the lemon. **2.** Season the sandperch with salt and pepper. **3.** Broil the fish quickly on both sides in a hot skillet. **4.** Sprinkle the dish with the sauce and place the vegetables in the middle of the plate dish. **5.** Place the fish on top of the vegetables. **6.** Serve immediately.

3. The State of Pernambuco

In the voice of the composer, multi-instrumentalist and merrymaker Antonio Nobrega, Pernambuco is a multitude of rhythms such as the maracatu, frevo, baião, and umbigada, which are demonstrations marked by multiple influences of the Portuguese, Africans and the indigenous. It is also a gathering of emotions and flavors - like the umbu, a characteristic sweet fruit, a true treasure of the backwoods – that were unraveled by the Gastronomic Expedition team. We could see Pernambuco through the eyes of writer Gilberto Freyre, and feel the warmth of the people and their taste for the sugar. This taste comes from the sugar mills in the Zona da Mata, which, since the seventeenth century, is considered the birthplace of famous cakes such as the Souza Leão, created by Mrs. Rita de Cássia Souza Leão Bezerra Cavalcanti, from São Bartolomeu mill, that is present in all popular celebrations. So much that it became an Intangible Heritage of the State. The Zona da Mata houses other exclusive products, such as honey from the sugar mill, the rapadura (a bar of brown sugar), and the sweet made of laranja-da-terra. It is the birthplace of flour mills, such as Glória do Goitá, and the Carpina countryside birds, products that mobilize entire families in the artisanal production. On a table in Pernambucano, you will always find curdled cheese and the bottled butter. These are highlights of the rural dairy region as well as the cheese-butter, a local delicacy. These and many other delights from Pernambuco can be found at Feira de Caruaru, the largest popular street market in the world, considered an Intangible Heritage of Brazil by Iphan (National Institute of Historical and Artistic Heritage). It has it all: ingredients, dishes, spices and handicrafts. The city promotes one of the largest festivities celebrating São João in the country, which includes forró and square dances that play Luiz Gonzaga's tunes, and the traditional fife bands, instrumental ensemble of percussion and woodwinds. At the table, one can find many recipes made with corn and the peanut brittle cake, made with cassava and cashew nuts. In the backwoods, the more energetic dishes predominate, such as the buchada. In the midst of the drought, the San Francisco Valley represents an oasis that breeds many fish and yields fine wines, the result of an advanced irrigation system. And a very special dulce de leche, made in Afrânio. And it is full of riches that Pernambuco speaks to the world of its authentic cuisine.

▪ Zona da Mata

The great sociologist Gilberto Freyre used to say: "Without sugar, no one can understand the Northeast, no one can understand Brazil!" It was in the Zona da Mata, in Pernambuco, that the cycle of sugarcane began , in the seventeenth century, the first economy of the colonial Brazil of the time. Part of the big houses from that time was transformed into charming inns, keeping the buildings and furniture. The strong presence of black people in slave labor, working in the sugarcane fields, developed cultural events like the maracatu, a staging musical where Baianas and caboclos carrying spears dance and sing in honor of their deities. Because of that, a tourist route at the sugar mills and Maracatu has been created. Considered the land of the rural Maracatu, the town of Nazaré da Mata keeps dozens of groups of merrymakers that participate in the Carnival. The town is also recognized by its remaining sugar mills, such as the Cueirinhas, which is a farm hotel nowadays. In the region of Mata Atlântica that covers the coastline, bordering the state of Alagoas, is the county of Quipapá, which was, in the seventeenth century, occupied by the Quilombo dos Palmares, the largest core of black resistance against slavery. The city's name was given by the legendary Zumbi, who, during an escape, stopped to rest on the top of a mountain of thorny underbrush called quipá. Some farms, such as Laje Bonita, still produce rapadura and honey and still preserves a historical waterwheel. Glória do Goitá – the land of mamulengo, typical puppets from the Northeast – was, about half a century ago, a center of manufacturing and distribution of cassava flour. Nowadays, there are still some flour mills in the rural zone, working as a source of income. At the border of the Zona da Mata and the rural area, Carpina and its surroundings represent an important center for breeding of countryside chicken.

PRODUCT ▪ SWEET OF LARANJA-DA-TERRA ▪ TERROIR ▪ Originally from Asia, this orange was one of the first seedlings to arrive in Brazil in the sixteenth century. It adapted very well in the Zona da Mata, with its tropical climate and periods of drought and rain well defined. In the mills of long ago, there was always an orchard where the laranja-da-terra was planted. As its pulp is very sour, only the thick and porous peel is used to make some jam. The high sugar content yields a savory contrast to the acidity of the fruit. This is a very traditional sweet, whose recipe passes from mother to daughter. "Old ladies, in their eighties, comment nowadays that their grandmothers used to make this sweet", says Nara Maranhão, owner of the Cueirinhas mill.

Producer ▪ **Cueirinhas mill** [Nazaré da Mata] ▪ *Dona Nara is a descendent from Jerome de Albuquerque Maranhão, brother of Duarte Coelho, the donee of the Captaincy of Pernambuco, who founded the Cueirinhas. Already in the 16th generation, the old mill was turned into a farm hotel, run by confectioner Nara Maranhão, who graduated at Senac (National Service of Commercial Apprenticeship) and took a postgraduate course in Northeastern cuisine. She prepares a table for guests with plenty of regional sweets, like the tapioca with coconut, the Souza Leão cake and the laranja-da-terra jam. "This sweet has a huge tasteful memory," she says. "But it's hard to make, its production takes five days." It is made in a copper pot from a base of dry caramel, flavored with cloves and cinnamon. The production, which is organic, can also be found in the shop Doce Engenho, in Recife.*

PRODUCT ▪ HONEY FROM A MILL AND RAPADURA ▪ TERROIR ▪ The honey from a mill (or molasses) is made with boiling syrup from the sugarcane, and its liquid is removed; when it is about to crystallize, it is placed in molds and it becomes solid blocks of brown sugar, that is, the rapadura. Excellent for the cultivation of sugarcane, the fertile land of massapé, very dark in color, with high presence of clay and originally from the Zona da Mata, is the reason why many small and medium farmers do not use fertilizers in their plantations. "For this reason, the sugar in our region is the most valued in Brazil," said Paulo Fernando Vieira, from the Laje Bonita mill.

Producer ▪ **Laje Bonita Mill** [Quipapá] ▪ *In the south Zona da Mata, with 13 hectares of forest reserve, lies Laje Bonita, surrounded by vegetation* *and streams, whose waters move a large waterwheel - the main attraction of the farm – that has been grinding the sugarcane since 1890. For 122 years in the hands of the same family, the mill is run by Paulo Fernando Vieira, his wife, Melânia Calado Alves Vieira and their son Leonardo Francisco Alves Vieira. The quality of the rapadura and the honey produced in the mill, with selected raw material, without preservatives or chemical additives, is recognized throughout the Northeast. Here they also make rapadura with fennel, cloves and cinnamon and the rapadurinha - in tablets and in a pyramidal bar shape - brown sugar and cachaça Laje Bonita, from an artisanal distillery. "Nowadays, in addition to the traditional recipes, there is a demand for honey from a mill and rapadura for ice cream, cornmeal scones, biscuits and cakes" said Paulo. The Gastronomic Expedition team was enraptured with the cake made with honey from a mill and the banana cake with rapadura.*

PRODUCT ▪ CASSAVA FLOUR ▪ TERROIR ▪ For generations the cassava and its by-products, such as the flour, are part of the daily diet and livelihood of the people of Feira Nova, Lagoa Itaenga and Glória do Goitá. Planting occurs from April to September and harvesting takes place after a year. An important initiative for the region was the Projeto Corredor da Farinha (the Flour Corridor Project), developed between 2009-11. The goal, achieved, was to improve the cassava chain production, enhancing the quality and the profitability, introducing new technologies, eliminating the middleman and keeping the farmer in the field. And all that happened because the major competitor of this handmade process is the industrialized flour, which is cheaper. Sylvia Sabadell, responsible for the cooperative Comadre Fulozinha, coordinates the production and distribution of quebradinha flour, a specialty in Pernambuco, which is grainier, consumed by customers such as Claude Troisgros, from the Olympe Restaurant, in Rio de Janeiro, and Helena Rizzo, from Mani, in São Paulo.

Producer ▪ **Pedro Jacinto da Costa's flour house** [Glória do Goitá] • *One of the 35 remaining flour houses belongs to Pedro Jacinto da Costa, who has been in the business for about 30 years. His eight employees produce 250kg of flour per week. The poisonous liquid extracted from the pressed cassava, the manipuera - called tucupi in the North – was formerly discarded in rivers, causing great environmental impact, but the Projeto Corredor da Farinha taught them to prepare soil fertilizer using the manipuera instead. This small farmer's vision turned him into an entrepreneur: he takes care of his accounting, accompanies all processes and visualizes his income.*

PRODUCT ▪ COUNTRYSIDE POULTRY ▪ TERROIR ▪ In Carpina, the breeding of countryside poultry, loose in the yard, prevails. This gives importance to the plantation of corn, and the farmers break it down into three parts: commercializing, feeding the family and feeding the birds. The rain provides a good harvest, which fosters this business; during the dry season, however, the bird breeding and the food used to be scarce. Breeders found the solution: produce chicks on a larger scale to provide farmers, so they will not have to worry about procreation. "We breed the birds as in the past, more naturally, but using more technology", says Fábio de Andrade Lima Ferrari, from the Aves do Campo poultry farm. This is possible thanks to the hot weather (36°C), which enables the breeding. "We do not need to deforest to create heat and we save energy."

Producer ▪ **Countryside birds** [Carpina] ▪ *For 20 years in the market, the poultry farm produces over 100 thousand chicks per week and creates countryside chickens and d'angola chickens, drakes, ducks and pheasants - species that used to be hunted and slaughtered in their natural habitat. Aves do Campo adapted the birds to the semi-confined regime, without using any growth stimulant or antibiotics, and thus, it offers meat and eggs on a larger scale. The birds, whose diet is based on vegetables, cereals and minerals, leave the perch twice a day and sleep at night. The slaughter - in 90 days and not in 40, as in the case of ordinary chickens - is of about 6 tons per month. Fabio still meets the requirements of chefs like Douglas Van Der Ley and Bruno Catão, who prefer the taste of countryside chicken.*

RECIPE ▪ Yellow hake with sesame crust in a bed of vegetables with rapadura sauce ▪ **1 serving**

[Chef Douglas Van Der Ley, from Cabanga Iate Clube Restaurant - Recife]

Fish • ingredients • *160g hake cut into four fillets • ½ cup of soy sauce to marinate the fish • 80g of sesame seed • 3 tbsp of olive oil • 2 tbsp of green onions* • Preparation • 1. Marine the fish fillets in soy sauce for a minute. 2. Pass the fillets in the sesame. 3. Heat a frying pan and drizzle with olive oil. 4. Broil the fish fillets on both sides to taste, and sprinkle them with green onions lightly fried. Set aside.

Vegetables • ingredients • *1 tbsp of olive oil • ½ clove crushed garlic • 1 cup of large chunks of chard • ½ cup of laminated carrot, thinly sliced • ½ cup of large pieces of iceberg lettuce • 1 tbsp of soy sauce* • Preparation • 1. In the same frying pan, use the olive oil to brown the garlic. Add the chard, carrots, lettuce and the soy sauce. Sauce • ingredients • *3 tbsp of soy sauce • 3 tbsp of beat rapadura • ½ cup of fresh coconut milk • 1 tbsp of tabasco • 2 tbsp of vinegar • a drizzle of olive oil* • Preparation • 1. Whisk all the dressing ingredients in a blender.

Completion • On a plate, arrange the warm vegetables, overlap the fish, drizzle it with the sauce and a little more of the sautéed green onions.

RECIPE ▪ Grilled Fillet of whiting with Isabel grape sauce with lady fingers bananas, cassava batter with curdled cheese and ricotta, crispy onions farofa ▪ **8 servings**

[Chef Joca Pontes, from Ponte Nova Restaurant, Olinda]

Fish • ingredients • *1,2kg of whiting filet (or white grouper)* • Preparation • 1. Divide the fish in 8 portions and grill both sides.

Sauce • ingredients • *500ml of Isabel grape juice • 2 lady fingers bananas • 100ml of white wine • 50ml of alcohol vinegar • ½ white onion cut into julienne • 2 stalks of chopped chives • 1 tbsp of sugar • 1 tbsp of cassava flour • salt and pepper to taste* • Preparation • 1. Sauté the onion and scallions in butter, add the sliced bananas and sugar, then the white wine. 2. Bring it to a boil, add the grape juice and the vinegar, season with salt and pepper. Cook over low heat for 10 minutes. 3. Add the flour stirring well, cook for 5 more minutes. 4. Grind everything in a blender and sieve the mixture.

Cassava• ingredients • *2kg of cassava • 200g of grated ricotta • 200g of grated curdled cheese • 1 clove of minced garlic • 1 teaspoon of butter* • Preparation • 1. Cook the peeled cassava until it is firm. 2. Remove it from the heat, drain it, and then knead it adding the ricotta, the curdled cheese, garlic and butter. 3. Grease your hands with oil and form 8 balls. Set aside.

Farofa • ingredients • *200g of cassava flour (fine) • 1 white onion, cut into julienne • 1 tbsp of unsalted butter • 1 teaspoon of palm oil* • Preparation • 1. Sauté the onion in butter over low heat, until golden brown, add the palm oil, then the flour. 2. Bake for about 10 minutes over low heat, stirring constantly to prevent burning. 3. Season it with salt only.

Completion • Serve the fish accompanied with the grape sauce and the cassava farofa.

RECIPE ▪ Stewed d'angola chicken ▪ **4 servings**

[Chef Bruno Catão, from Aves do Campo Restaurant, Parraxaxá]

Chicken • ingredients • *1kg of d'angola chicken • 70ml of white wine • 3 cloves of garlic • 70ml of clarified butter • 1 onion • 1 tomato • ½ green bell pepper • 20g of paprika • 20g of colorau • 10g cumin • 50ml of Worcestershire sauce • 800ml of mineral water • 30g of parsley and chives • 10g of salt and black pepper* • Preparation • 1. Marinate the chicken with the white wine, black pepper and salt. Let it stand in the refrigerator. 2. In a pan, fry the chicken pieces in garlic and butter.

3. Then add the onion, tomato, pepper, Worcestershire sauce and dry spices. 4. Add water and let it cook over low heat for about 30 minutes. 5. Adjust the salt and add the parsley and chives at the end. Farofa • ingredients • *300g of corn meal • 1 clove of garlic • 20ml of bottled butter* • Preparation • 1. Moisten the cornmeal with water and bring it to the skillet for toasting and drying. 2. In parallel, brown the garlic in butter and add the cornmeal. 3. Mix, toast and dry so it gets crispy.

▪ Rural Pernambuco

A transition between the backwoods and the Zona da Mata, the rural area of Pernambuco presents, by its proximity to the coast, a drought season lower than that of the semiarid region. The rough plateau of Borborema has an altitude climate, with lower temperatures and higher precipitation rates. Garanhuns, 900 meters from sea level, is known as the "city of flowers" for its flowerbeds and trees. The land of former president Luiz Inácio Lula da Silva is famous for its Winter Festival (FIG) - bringing together regional musicians and big names of the Brazilian Popular Music – that happens in parallel with the Gastronomic Festival, of which local restaurants participate, harmonizing dishes with wines from the Vale São Francisco. The flagship of Garanhuns and surrounding areas, however, is the production of curdled cheese and the cheese-butter. Thanks to the altitude, the cattle rearing began in the first half of the seventeenth century, when several farms appeared and spread out by nearby towns such as Pedra and Arcoverde. The city of Pedra was a former cattle farm that over time became the village of Nossa Senhora da Conceição da Pedra, in honor of its patron saint. That is where the producer Ricardo Valério manufactures the artisanal cheese-butter and bottled butter, in the Valelac dairy farm. Arcoverde, gateway to Pernambuco's backwoods, is home to some of the most traditional samba groups of coco - cultural manifestation of African origin, consisting of a circle of people clapping their hands and singing verses. From this town and its surroundings comes most of the production of curdled cheeses, one of the most symbolic foods of the people from Pernambuco. Rio Branco is an example of dairy product quality. According to Chef César Santos, the curdled cheese with a standard of excellence is great to be eaten with onions, oregano, toasted on a hot plate, and as a typical dessert called cartola (top hat), which combines banana and the delicious cheese.

PRODUCT ▪ CHEESE-BUTTER, CURDLED CHEESE AND BOTTLED BUTTER ▪ TERROIR ▪ The production of curdled cheese, cheese-butter and bottled butter is connected to the historical, cultural and economic aspects of rural Pernambuco. It is an important source of income for rural communities that produce it. From the time that Brazil was a colony until today, these dairy products have been a form of exploitation and conservation. The state government, along with Sebrae (Brazilian Support Services to the Micro and Small Enterprise), has recently started working to enable cheese makers to follow a standard of quality, which involves production rules and sanitary procedures, in addition to defining the area where the cheese is made. The result is the achievement of a geographical indication for the product. There are 44 municipal districts included, among them Garanhuns, Pedra and Arcoverde. The idea is to preserve the artisanal production, part of the northeastern heritage. Besides the uniform and pressed mass, the curdled cheese from Pernambuco has a subtle sweet flavor, likely the result of feeding the cows with a culture based on the spineless cactus.
Producer ▪ **Valelac dairy farm** [Pedra] ▪ *The dairy farm owned by entrepreneur Ricardo Valério is well structured, with stainless steel equipment, employees adequately uniformed and a production without chemical additives. The company produces clarified bottled butter, which remains liquid at room temperature. It is obtained by cooking the butter until all the water has evaporated and only the fat and the solid particles of the cream remain. Ricardo also manufactures the special cheese-butter. Also known as requeijão do Norte, it is made from curdled boiled milk and added on by about 30% of bottled butter at the end of the process. For one kilo of more solid and uniform mass of cheese, 10 liters of milk are used, instead of seven. The skim milk is used so the final product is not so greasy. All that care enables Ricardo to have clients like the delicatessens and renowned restaurants of Recife.*
Producer ▪ **Rio Branco dairy farm** [Arcoverde] ▪ *The Rio Branco dairy is installed in a farm of eight acres, known as Cajazeiro. The owner, a veterinarian called Alberto Vas, dominates the entire production: from the rearing of the cows (girolando, a mixture of Indian and Dutch cattle) to the preparation of the curdled cheese - made with fresh, raw milk, with the addition of chemical rennet. The rennet is formed after the mass has rested; this is the moment it should be cut to release the whey. The solid part is placed in stainless steel molds and taken to the press. As this is a fresh cheese, it expires in only 20 days. The Gastronomic Expedition team tasted and approved this symbolic product of the Northeast.*

▪ Pernambuco Backwoods

Desertão (big desert), in allusion to the hot and dry climate of the backwoods of the Northeast, was renamed simply backwoods. With soil in tones of orange, burned by long periods without rain, the vegetation is typical of the Caatinga, composed of shrubs and creeping trees like braúna, jujube, babaçu, cashew, mangabeira, oiticica, and the mastic tree. The umbuzeiro has been ennobled as "sacred tree of the backwoods" by the pity of the author Euclides da Cunha, in his book "Os Sertões" ("Rebellion in the Backwoods"). Nowadays, chefs like Rodrigo Oliveira, from Mocotó Restaurant, in São Paulo, use the pulp of umbuzeiro to invent creative desserts. In this dry scenario, there is still the presence of cacti - capable of storing water for long periods of time - such as the xique-xique and mandacaru, of a beauty both arid and vigorous. Withstanding adversities of the backwoods is for people like the brave Lampião and Maria Bonita, or for artists like Luiz Gonzaga, who was born in 1912, in Exu, a town in the full semiarid of Pernambuco. With his accordion, he led the rhythms of baião and forró from the backwoods throughout Brazil. By being more adapted to the Brazilian semiarid climate than the ox, the goat - the kid, when mature, so ubiquitous in the wilderness that it is present in the cordel literature - became a basic dish in the northeastern table. There are many recipes made with its meat: from the famous buchada (kid giblets stew) to the stuffed and roasted goat. The meat, although still encountering some prejudice, has great flavor.

Vale São Francisco

True gastronomic source, the "Great Chico" (as the San Francisco River is called) supplies a part of the semiarid region of Pernambuco. The beauty of its margins, and the fact that it is a perennial river, attracts many tourists for its beauty. They sail in typical boats, always protected by carrancas (figureheads) on their prows, which, according to legend, scare off evil spirits and dangers of the water. Visitors take the opportunity to savor delicious local dishes such as the grilled piau stuffed with farofa and moqueca de cari, which is considered the "lobster" of the São Francisco River and is found in small fishing communities like Pedra, where the natives live off fishing from the river. The São Francisco River has huge economic, social and cultural importance to the bordering towns, such as Petrolina. Here, through advanced irrigation techniques, the important activity of fruit cultivation, especially mango and grape, was developed. A must-see attraction in Petrolina is the Bodódromo, which is reputed to be the largest gastronomic complex for the tasting of goat meat. An outdoors facility, the space has many restaurants, kiosks and exclusive area for parties. Besides the traditional goat roasted in wine and the buchada, there is a multitude of dishes derived from the goat meat, like the stew, the kebabs, sarapatel, and over pizzas. When you arrive at Lagoa Grande, you can see the sign that reads: "The northeastern capital of grape and wine". In fact, the town, which is part of the Polo Agroindustrial de Petrolina, concentrates a great winery center, with national and international producers exporting to various countries. A specialty of Afrânio, a municipal district located in the far west of the state, is the white dulce de leche, a luxury in the backwoods, prepared with care for generations by the local confectioners.

PRODUCT ▪ WINE FROM THE VALE SÃO FRANCISCO ▪ TERROIR ▪ Traditionally, the wine production is linked to low temperatures. The Vale São Francisco is an exception to this rule, since its semi-arid climate causes the grapes to undergo the action of the sun almost all year. The irrigation system - which comes from the São Francisco River - the judicious pruning, the excellent brightness and the clayey-siliceous soil provide two to three annual crops and have turned the region into a major center of wine production. All these factors give the grape a high content of sugar, making the muscatel the vocation of the São Francisco River. This grape also yields good crops of other varieties such as the cabernet sauvignon and Shiraz. The pioneering of the region has made possible the elaboration of fine wines in the backwoods. The valley was actually featured in the film Mondovino, directed by Jonathan Nossiter, about several producing regions in the world.

Producer ▪ **Santa Maria winery** [Planaltino Farm, Lagoa Grande] ▪ *Santa Maria farm is 10km far from Lagoa Grande. Responsible for the known label Rio Sol, the winery has a unique achievement in the world: the development of a tropical wine, thanks to continuous cycles of grape production throughout the year. With an area of 200 hectares, the farm produces 1.6 million liters of wines and sparkling wines, 30% of which are exported in bulk. In 2002, the winery, operating since 1986, was passed into the hands of the Portuguese company Dão Sul, one of the most renowned wine producers in Europe. José Eldo Evangelista, an employee at Santa Maria, introduced the Gastronomic Expedition team to the winery. He led the team through the vineyards and showed their cultivation, done in the traditional trellis system (horizontal conduction) and the espalier (vertical conduction, which allows more sunlight). The main varieties grown are cabernet sauvignon, Shiraz, Aragonese, National Touriga, Alicante Bouschet and Moscato Canelli.*

PRODUCT ▪ LOBSTER ▪ TERROIR ▪ The fishing community of Pedrinhas, which is part of the city of Petrolina, lives off fishing the cari. Native from the river, the fish is also called black-armored catfish. With about 50 centimeters, it was commercially rejected for a long time because of its ugly aspect: hard shell with stains, large and flattened head. The chefs, however, recently found out that the texture and wonderful flavor of this fish resembles that of the lobster. Moreover, it is rich in protein and has plenty of meat. The fishing takes place throughout the year in the region, but from January to March, the use of a net is forbidden, and only a fishing rod can be used. Normally, the commercialization occurs between fishermen and suppliers. The production stays mainly in the small restaurants in the riverside. Other fish found there are the piau, caramatã, pacu and bodó.

Producer ▪ **Fishermen Pedro Oliveira and Gilson Barbosa** [Pedrinhas, Petrolina] ▪ *With only a thousand inhabitants, Pedrinhas, 27kilometers from Petrolina, has 206 fishermen who have their livelihoods coming from fishing and planting their basic foods. The Gastronomic Expedition team met Pedro Oliveira, 65, president of the fishermen's association of Pedrinhas, a man who carries fishing in his veins: his whole family is of fishermen, from his grandfather to his children. But the person who leads the expedition to experience the fishing in the São Francisco River, in a "popopó" – a sort of motorized raft – is Gilson Barbosa, aka Soma, 35 years old. The handling of the net calls for a lot of strength and technique so that it will not roll up and will fall neatly into the surface of the water. In the first attempt, we can already see the multiplication of fish: bodós, piaus, caramatãs, pacu... Typically, the sale of fish occurs between fishermen and suppliers, in the region of Petrolina.*

PRODUCT ▪ WHITE DULCE DE LECHE FROM AFRÂNIO ▪ TERROIR ▪ The municipal district of Afrânio stands out in the region for its large production of milk. This factor contributed to the emergence of the white dulce de leche, whose manufacturing started in the 1930s by confectioners like Mrs. Joaninha and Ms. Moça. With time, it became a typical local product and several artisanal businesses appeared. The white dulce de leche from the backwoods cannot be sold outside the state of Pernambuco because it does not have a legal authorization for that. The sweet is sold in syrup, in a bar – also with coconut - and a creamy version.

Producer ▪ **Q-Sabor** [Baixa Bela Farm, Afrânio] ▪ *Twelve kilometers far from Afrânio is the small farm Baixa Bela, producer of the brand Q-Sabor, in which Raimundo da Luz, 40, prepares the iconic product of the place: the white dulce de leche. He now represents the second generation of producers and he manufactures it in a small kitchen of rustic production, with capacity for three large pots, a sink and a spot for cooling. Raimundo wakes up at 4am and then goes straight to the farm to milk ten cows, which yield about 90 liters of milk per day. At 7 o'clock, wearing a white apron, a mask and hygienic cap on his head, he is ready to light the wood stove and start constantly stirring the milk with wooden spoons, adding sugar. After 30 minutes, the white dulce de leche is ready. Then Raimundo begins to prepare the bars: he thickens the milk by heating it almost to the point of burning. Cooking it until it reaches the ideal point, he removes the pan from the heat and stirs the milk with a spoon without stopping, and after it is cold, he places it in wooden molds to cool down. The delicacy is bought mainly by those who stop on the road and already know the homemade sweet. It is also marketed in the city of Dormentes and Rajado, where Raimundo has two commercial buyers.*

▪ Metropolitan area/Recife

Recife has emerged as the capital of the Northeastern cuisine, sheltering several starred restaurants run by chefs who research and use the numerous regional ingredients from the state. With this, they have built a new Northeastern kitchen. Among the advocates that the Gastronomic Expedition chose to prepare delicious dishes are André Saburo, from the Taberna Japonesa Quina do Futuro, who invests in the use of local fish such as the whiting, Chef Douglas Van Der Ley, from the Iate Clube Cabanga, who researches the use of the rapadura, Joca Pontes, from Ponte Nova Restaurant, dedicated to creating dishes with quebradinha flour from Glória do Goitá and Bruno Catão, who uses the d'angola chicken, resulting in a fine stew. The tradition of good establishments for eating started in 1882, when a restaurant called Leite was opened, one of the oldest in the country. Keeping a longtime fame is also the Casa dos Frios, which sells the most sought-after cake roll, made of thin crust and filling of guava paste, a heritage of Pernambuco. Recife was born in the mouth of Capibaribe and Beberibe Rivers in 1548, as a small fishing village. The rocky reef formation that skirts the shore and keeps the waters calm and warm gave the town its name. Everyone wants to hang out in the wide sidewalks, enjoying appetizers like the bean broth, grilled curdled cheese, fried shrimp, juices of seasonal fruits and coconut water. The Dutch, who invaded Pernambuco in 1630, looking for the wealth generated by the sugarcane, left an important legacy in the state. At that time, Recife experienced a great splendor and the first bridges were built. Currently, these bridges cross rivers and waterways connecting the modern area of the city to the old buildings, a true open-air museum. The house where the sociologist Gilberto Freyre lived from 1841 until his death, in the district of Apipucos, was transformed into a foundation and museum. It's a pleasure to admire the rooms, the furniture, objects and personal collection of over

40,000 books of the great author of "Casa Grande & Senzala". The Gilberto Freyre Foundation also houses an emporium that sells the "pitanga cognac", that the writer was proud to serve to his guests. It is handcrafted by his heirs, once a year, during the harvest of the fruit.

MARKETS

Mercado São José ▪ *Chefs Bruno Catão and André Saburó presented the Mercado São José to the Gastronomic Expedition team. The first thing to do when visiting the site is to have a hearty regional breakfast that includes roast beef with yam, cassava with beef jerky and chicken stew with corn couscous. One of the market's most important sectors is the seafood and fish from the rich coast of Pernambuco, among which is the much appreciated whiting, from the same family of the white grouper. In the outside part of the market there is a fair, with dozens of stalls selling seasonings, fruits, meats and crafts. São José is the oldest market in Recife. Built in 1871, it has an iron structure, inspired by the Grenelle Market, in Paris. Since that time, repentistas (local musicians) perform on the site, which is also a center of cordel literature.*

Tapioqueiras from Olinda ▪ *Oh, Linda! Those were the words that Duarte Coelho, the first donee of the captaincy of Pernambuco, exclaimed upon arriving at Alto da Sé, in 1535. He was enchanted by the breathtaking view of the blue sea. And this is the same place where tapioqueiras offer their delicacies daily. The steep slopes made of cobblestone, the monasteries, the churches, and the mansions with Moorish balconies and colonial facades led UNESCO to declare Olinda a Historical and Cultural Heritage of Humanity, in 1982. Many artists, artisans and sculptors chose the city to build their studios, art galleries and antique shops. The Carnival in Olinda boils with millions of revelers enjoying themselves in the blocos, alongside giant puppets made out of paper mache. At the restaurant Oficina do Sabor, the renowned Chef César Santos, a pioneer in the valuing of the Northeastern cuisine, serves dishes like pumpkin stuffed with shrimp with mango sauce.*

Tapioqueiras from Alto da Sé ▪ *At nightfall in Alto da Sé, in Olinda, many stalls start selling the famous tapioca. A group of women who inherited from their mothers the craft of preparing this fine delicacy have been gathering there for decades. Carefully and very cleverly, they sift and shape the gum by putting the dough in a pan heated with coal embers. They create many kinds of stuffing like cheese, shrimp, shredded beef jerky with cream cheese, coconut or simply butter. They are all very delicious! "The tapioca is the Brazilian crepe", says Chef César Santos, from the Oficina do Sabor Restaurant, in Olinda. He is one of the responsible for the registration of the street tapioca as an Intangible Heritage of Olinda. It is for this tasty reason, and for being a place where you can have a beautiful view of the colonial buildings and the sea, that Alto da Sé is one of the main tourist attractions in Olinda.*

RECIPE ▪ Grilled whiting, served in a mild sauce of sake kirin and ginger scented soy sauce ▪ **4 servings**

[Chef André Saburó Matsumoto, from Taberna Japonesa - Quina do Futuro - Recife]

Fish • ingredients • *600g fillet of diced whiting • 10ml of sake • 80g of unsalted butter • ½ bunch of chives laminated • sea salt and nori strips • salt and pepper to taste* • Preparation • **1.** Season the whiting fillets with 10ml of sake, salt and pepper. Set aside. **2.** In a hot skillet, add the butter and the cubes of whiting. Stir for about 6 minutes. **3.** Turn them from one side to another and, before turning the stove off, place the scallions, stirring some more. Set aside. **4.** Finish the dish with sea salt and nori strips.

Sauce • ingredients • *60ml of soy sauce • 200ml of kirin sake • 240ml of filtered water • 2g of monosodium glutamate • 30g of grated fresh ginger • 100g of granulated sugar • 10g of corn starch • 100ml of filtered water* • Preparation • **1.** Place the soy sauce, kirin sake, filtered water, monosodium glutamate, and grated fresh ginger and granulated sugar in a small casserole. Mix all ingredients well until the sugar dissolves. **2.** Simmer for 10 minutes and shortly after that, dissolve the cornstarch aside in the filtered water and add it to sauce, always stirring until obtaining a thicker consistency.

4. The State of Ceará

"Far away, way beyond that mountain, which is still blue on the horizon, Iracema, the virgin with honey lips, was born, with hair blacker than the graúna wings, and longer than her palm figure." In the romantic novel "Iracema", writer José de Alencar, from Ceará, tells one of the most beautiful love stories and unravels the charms of Ceará, his birthplace, and its first inhabitants, immortalized by the beautiful native woman. It was in the encounter between the Mundaú River and the sea that the romantic couple Martim and Iracema met. And even today, many couples revel bathing in its waters. It is so much sea that the raft became the symbol of Ceará. The Gastronomic Expedition team could not miss out navigating this typical boat, towards the paradisiac beaches, full of dunes, coconut trees and cliffs of colorful hues as Jericoacoara and Canoa Quebrada. Near the coast the team found treasures like the salt marsh of Mossoró, the most important in Brazil, in Costa Branca. The breeding of white shrimp is very favorable in Costa Negra, in Icapuí. In the same place, a little further away, the warm temperature and the modern technology get together to produce special fruits and vegetables. At Redonda beach, the lobster catching stands out. This exuberance is found also inland, in places like the mountains of Ibiapaba, to the west, where there is a fertile valley, with the production of sugarcane. Because of this, the city of Viçosa do Ceará has been manufacturing various types of artisanal liqueurs for generations. The caatinga biome is also very present in Ceará. In Quixadá, in the central backwoods, the raising of kid (or goat) is predominant. Further south, in Cariri, Juazeiro do Norte is famous for festivals and pilgrimages devoted to Padre Cícero. Antônio Gonçalves da Silva, aka Patativa do Assaré, was born in the same region, in the town of Assaré. He is considered one of the most important representatives of the northeastern popular culture, whose songs were sung by Luiz Gonzaga. He portrayed the people, the nature and contrasts of the backwoods with much greatness. And he used to say: "I am Brazilian, son of the Northeast, cabra da peste! I am from Ceará."

▪ Costa Negra

With 48km of extension, the region of Costa Negra, in Ceará, has beaches that attract tourists from all over the world. The region's name comes from the appearance of dark gray waters from the local beaches. It is a stretch of coastline that runs from the mouth of the Aracatimirim River, in Torrões, to the mouth of the Guriú River, in Jijoca de Jericoacoara. It includes the municipal districts of Itarema, Acaraú, Cruz and Jijoca de Jericoacara. An old fishing village, Jericoacoara has become one of the major destinations visited in Ceará, thanks to the tides that rise and fall with impressive speed, the waves and the crystal green waters of the lagoons, which contrast with the white dunes, where, at dusk, the must-see spectacle of the sunset takes place. Enjoying Jeri, as it is affectionately called, and the other beaches of Costa Negra, is an invitation to taste the local fish and shrimp. A centennial town, with old houses, Acaraú is the main producer of shrimp, with 2,000 hectares of farms. Produced in an environmentally correct manner, the crustaceans represent a large local economy. The International Shrimp Festival of Costa Negra, in Cacimbas Farm, organized by the Association of Crustaceans of Costa Negra (ACCN), brings together Brazilian and international chefs. In it, there are some crash courses and workshops, besides a competition of dishes made with shrimp. During the festival, the debate about the environmental license for the production of farmed shrimp is open to discussion.

PRODUCT ▪ SHRIMP ▪ TERROIR ▪ Costa Negra is very favorable to the breeding of the versatile white shrimp (Litopenaeus vannamei). A conjunction of factors influences in its production positively: the proximity to the sea facilitates the arrival of saline water to the fish tank; the large expanses of dark gray sediment, rich in nutrients, coming from the Acaraú River transform the coastal soil into the best biological area for production; and finally, the high temperatures favor the rapid growth of the shrimp. Local producers are concerned about the development of the region and the preservation of the environment.

Producer ▪ **Bomar farm** [Acaraú] ▪ *The property is located 30 minutes from the city of Acaraú. At the entrance one can already see the turbines, a kind of giant pinwheel, responsible for generating wind energy. In an area of 350 hectares, divided into three farms, Bomar is a mega industry in the production of vannamei shrimp. Diego Apolinário, the fishing engineer, introduced the place and the production process to us. He started by showing us the "nurseries", where the crustaceans stay at its post-larval stage, after ten days of the larval state. These micro shrimps are divided into six tanks containing 55 liters of sea water, and there they stay from 15 to 30 days – this is the time needed for their adaptation to the environment and to the water. They are then transferred to the fish tank and fed three times a day with fish food and natural algae. When they reach the size for sale, between 7.5g to 30g, the shrimps are killed by thermal shock, which keeps their physical characteristics. After that, the crustaceans are sent out to be processed. The final product - that can be sold frozen, fresh or cooked - reaches 3,000 tons annually, and the main consumer market is Rio de Janeiro.*

▪ Icapuí (coast)

The small town of Icapuí, 50km from the bustling and trendy Canoa Quebrada, is a retreat of tranquility, with lots of sunshine, low rainfall and constant warm breeze coming from the Atlantic. The view is graced by the natural pools and cliffs that create a striking outline and a natural insolation. Distant 18km from the center of Icapuí is the cove beach of Redonda, protected by a rocky cliff edge. Here, during the low tide, small pools of warm water, great for relaxing, are formed. In Icapuí you can find boats and rafts of lobster fishermen, who, bravely resisting to the predatory fishing, watch over the sea at the time of the crustacean reproduction. Much of the population of the municipal district has in the lobster their source of income, since the region is a major producer in Ceará. To strengthen the supply chain and consolidate the town in the tourist route on the coast, the Lobster Festival and the Gourmet Salon take place and include participating restaurants, beach huts, bed & breakfasts and hotels, which prepare dishes with the "queen of the party" - the lobster. Some time ago the vocation of the semiarid of Icapuí for cultivation of melon and watermelon was discovered. With advanced technology, Famosa farm cultivates vegetables with special features.

PRODUCT ▪ SPECIAL FRUITS AND VEGETABLES▪ TERROIR ▪ The semi-arid region of the backwoods of Icapuí is favorable to the cultivation of watermelon and melon, which cannot stand rainfall above 20mm. Thus, the warm temperatures throughout most of the year form a natural greenhouse, providing rapid ripening and a level of constancy in sugar. Here, companies that use advanced technology also develop special vegetable plantations. "It's even better than if it were a heavier soil, more fertile, because we adapt it to the needs of planting and each variety has its secret," says Andrei Mamede, from Famosa farm. Another important point is the irrigation, done with abundant water drawn from wells, deep underground, which is complemented by the ability of the agronomists.

Producer ▪ **Famosa Farm** [Acaraú] ▪ *Property of Luiz Roberto Barcelos and 20 years in the market, Famosa farm resembles a town: there are 2,000 acres of farm and 7,000 employees. It is a leading producer of diversified vegetables, melons and watermelons in the country, totaling 60 tons of fruit per year. Today, 70% of the production is destined for the export market: Europe, Asia (China, Singapore), Latin America (Argentina, Chile and Uruguay). Among the special vegetables are the mini zucchini, ornamental squashes, sweet corn, mini eggplant, cherry tomatoes with low acidity, and the Nero tomatoes. "We were told that we would be crazy to produce asparagus, but we have been very successful", said Mamede. Since the harvest is mechanized, this enables the farmers to do a pre-selection of vegetables and fruits. With cutting-edge infrastructure, the washing and drying of vegetables is done in special machines, in large warehouses owned by the company, and then the products are packaged and stored in cold chambers. The production follows international standards of food safety, respecting the environment.*

PRODUCT ▪ LOBSTER ▪ TERROIR ▪ The fishermen from Redonda beach, in the municipal district of Icapuí, famous for having the largest source of lobster in Brazil, are responsible for keeping the artisanal fishing of this crustacean, observing its closed season (reproduction stage), between December and June. They are joining forces to establish an association which will allow them to market the lobster - whose price in the international market is much higher - directly, that is, without the middleman. The lobsterman gets up at 3am to be at high sea around 4 o'clock. Tobias Soares da Silva II, led the Gastronomic Expedition team to learn about his fishing. On the first day, the cangalhas, floating wooden cages with coated lines for catching lobster, are deposited on the high seas and removed the next day. The fishermen's sense of direction is amazing: even without any markup, they know exactly where to put their cages. Tobias explains that there are two ways to fish the lobster: a sustainable way, using cages or manzuás, and the predatory way, using marambaias, trawls and air compressors used for diving. The predatory fishing industry had been polluting the ocean and decreasing the stock of lobster year after year. In Redonda, fishermen joined together and appealed to the authorities, but IBAMA (National Institute of the Environment and Natural Resources) has not taken any concrete measures yet to inhibit this form of fishing. Tired of waiting, artisanal fishers have acted on their own: they have started watching the sea at the time of closure and created a history of resistance. Even without knowing, they have become cultural and political agents and are able to express their differences very well. This community can be perceived as an example to other ways of thinking and acting perfectly applicable to today's world.

▪ Chapada da Ibipiaba, North Region

Nestled in the backwoods, in northwestern Ceará, the Chapada da Ibiapaba is a sight for sore eyes, with its exuberant Atlantic forest vegetation that emphasizes the babaçu palm. In this ecological paradise, birds as hawks, caracara, acauã, American kestrel and the king vulture fly freely. Amid the trails there are star tamarins, capuchin monkeys, agoutis, anteaters, armadillos and several snakes. The indented relief forms cliffs of limestone, grottos, caves and beautiful waterfalls. It is said that in one of them - Bica do Ipu - the mythical "virgin of honey lips," Iracema, used to bathe. On the slopes of the plateau is the Vale do Lambedouro, with crystal clear waters, natural springs and rivers that flow into waterfalls and fertilize these good lands for the sugarcane plantation and its by-products such as rapadura and syrup. Many sertanejos, attracted by good growing conditions, settled here, which resulted in 28 producers of cachaça from artisanal distillery. Ipiapaba, a 300 year-old town with a lot of history, began with the Tabajara indians, from the Tupi tribe. In the seventeenth century, the Jesuits started here one of the main missions of the country. Father Antônio Vieira, in one of his letters, confirms his passage in the region. The town was declared a National Historic Landmark by Iphan.

PRODUCT • LIQUEURS • TERROIR • Viçosa do Ceará, in Chapada Ibiapaba, is surrounded by the Vale Lambedouro, whose fertile and humid soil carries the tradition of cultivating sugarcane for the production of cachaça. It is the base of liqueurs that have been handmade for centuries. They come from the Portuguese heritage: the housewives prepare it with zeal to welcome visitors. Among the most appreciated, common throughout the Northeast, are the genipap, tangerine, pineapple and passion fruit liqueurs.

Producer • **Casa dos Licores** [Viçosa do Ceará] • *For those going to Viçosa, a stop at Casa dos Licores (House of Liqueurs) is mandatory. Holding 55 years of tradition, the house was founded by Alfredo and Terezinha Miranda. In addition to the 72 types of homemade liqueurs, they also produce 48 flavors of jelly and gum biscuits, such as the peta. Nowadays, it is the daughter, Tereza Cristina, who runs the business, and laments over the fact that the tradition of liquors is getting lost: this is virtually the only place that produces them. Mr. Alfredo, 96 years old, welcomed the Gastronomic Expedition team to the sound of the fife, a bamboo instrument which resembles a flute. In the kitchen, we learned about the process of preparation of the liquor. First of all, he creates the "honey": for a liter of water, 700g of sugar are added. In a copper pan - with the needed correction to avoid oxidation - the mixture is cooked until it boils. The cachaça is macerated with spices and herbs (cloves, cinnamon, balm and cinnamon) and fruits (genipap, strawberry, acerola, guabiraba and pitomba), and then set aside for aging. There are still the rose, milk and chocolate liqueurs. Tereza let us taste all of her liqueurs; her only recommendation for us was not to leave any leftovers in the glasses. We also tasted the delicious peta cookies. It's impossible to eat them without getting addicted. The secret of the recipe is in the babaçu oil.*

• Central Backwoods, Quixadá

"Green, in the gray monotony of the landscape, only some juazeiro still escape the ravages of the branches; but, in general, the poor trees appeared mournful, showing the stumps of the twigs as amputated limbs and the bark all shaved in large white areas." That is how Rachel de Queiroz describes so well the droughts that punish the semiarid in her book "O Quinze" ("The Fifteen") a landmark of regionalism of the 1930s. The writer from Ceará - the first woman to join the Brazilian Academy of Literature - lived much of her life on the farm Não me Deixes, in the district of Daniel de Queiroz, a little more than 30km from downtown Quixadá. Her writing inspiration came from the people and the stories in the region. A good eater and defender of the Northeastern regional cuisine, Rachel de Queiroz left behind her culinary legacy in the book "Não me Deixes – Suas Histórias e Sua Cozinha" ("Don't Leave Me - its stories and cooking"). In the book, she narrates her life on the farm and its food, highlighting its preparation, on the wood stove, and talking about dishes like paneladas, buchadas, mutton rice, besides the sweets made in copper pot. Covered by the caatinga vegetation, the central backwoods has harbored, for a long time, an extensive livestock farming of sheep and goats. And it was looking after small herds that the figure of the cowboy settled in the surroundings of Quixadá. Nowadays, the genetic improvement of animals deserves to be highlighted. If in the past the backwoods represented a kind of isolation, now Quixadá has become a hot spot for adventure tourism. This is due to its granitic rocks, which reach 90m of height and attract athletes and sportsmen from all over the country, seeking activities like climbing, hang-gliding and paragliding.

PRODUCT • QUIXADÁ KID • TERROIR • It was in the seventeenth century that the first young goats arrived in the Quixadá region; after crossing various species, two became more resistant to the drought: the moxotó and the canindé. They adapted well to the diet of native shrubs and vegetables. Even in the dry season that punishes the backwoods from July to November, the kid does not suffer from starvation, eating even dead leaves. With the encouragement of the government - which offers animals of excellent breeding standards to mate with the flock at no cost - the breeding of sheep and goat farming ensures higher productivity and better quality in herds.

Producer • **Pé de Serra Farm** [Quixadá] • *Amidst the beautiful landscape of the caatinga, in the Aroeira mountain range and 30km from Quixadá, lies the Pé de Serra farm, owned by the cattleman Paulo de Holanda, who is part of a fourth generation linked to livestock. Paulo is an expert in sheep and goats. Today he has a flock of 300 animals, with various breeds of goats, sheep and lambs - including the Santa Ines, whose meat has less fat than those produced in the South of the country. These are beautiful and very well kept animals. The site keeps a cold storage plant where the marketed cuts are processed, such as lamb sausages, lamb and goat steaks and boursin goat cheese, whose sale is made within the state. The raising of sheep and goats does not generate income only for this business. Paulo Holanda Pinto Filho and his wife, Everani Bezerra Pinto, created the Association Pé na Serra, where artisans produce pieces such as rugs, hats, sandals, and harnesses for horses, using animal leather. The place also houses a restaurant, where the Gastronomic Expedition team enjoyed recipes like lamb ribs, baião de dois and a hot and creamy coconut sweet.*

• Metropolitan area/Fortaleza

An afternoon on Iracema beach is enough to show you why Fortaleza is considered the "Land of the Sun": the orange tones at the end of the day are enjoyed year round, in an endless summer. With that nice weather, Fortaleza buzzes the whole week, including on Mondays, when couples dancing forró spend the night in full swing. The Gastronomic Expedition team got into this contagious atmosphere, starting with a walk along the sidewalks, especially on Futuro beach, where you can find the "mega stalls", where the snapper in salt, roasted over coals, is a must. Thursday is "crab day": diners savor the famous crab stew, served with special sauce and delicious farofa. Another flagship is the lobster, easy to find in Fortaleza: it is served only seasoned in salt, with coconut cream or grilled on its shell. The capital city has many renowned restaurants, both contemporary and regional cuisine, such as the Colher de Pau, a good place to appreciate a good fish stew, made in a clay pot. To enjoy good local beef, the choice is the Moana restaurant, with recipes like a grilled rack of lamb. For those who like fish and seafood dishes, the tip is to taste the whiting risotto or the lobster from the Villa Alexandrini. Good products from Ceará can be found at Mercado de São Sebastião (San Sebastian Market). On the beach of Mucuripe, surrounded by coconut trees, a nice way to relax is taking a stroll or watching the fishermen on rafts and fishing boats returning to shore with loads of seafood, supplying the fish market of Beira-Mar. The site is a starting point to learn about the other beautiful beaches with white sand and blue water. Almost everyone who goes to Fortaleza wants to visit the Beach Park, 29km from the capital, one of the largest water parks in Brazil. Nearby is Maranguape, where the Museum of Cachaça is located, a construction dating from the mid-nineteenth century. It is maintained by the Telles de Menezes family, the founder of the Ypióca cachaça.

MARKET • San Sebastian Market • *It was early morning, but the typical confusion of large markets had already begun at Mercado São Sebastião, in Fortaleza: colors and smells mingled; fruits, vegetables, meats, fish, cashew nuts, rapadura, honey from Rio Grande do Norte, curdled and butter cheese, besides the typical food, snacks, meats, deli meats and crafts. It was Chef Bernard Twardy who paraded with the*

Gastronomic Expedition team through this wonderful chaos. This huge place, with nearly 500 stands, has three large sheds, with two floors each. It is worth drinking the typical and hearty northeastern coffee there, along with intestine stew, tripe, meat, rice and couscous. God bless! Bernard says that they didn't use to have many suppliers in Ceará 20 years ago. Nowadays, it is possible to find herbs and assorted vegetables in the market.

RECIPE ▪ Grilled rack of lamb ▪ **2 servings**

[Chef Eduardo Sissi, from Moana Restaurant, Fortaleza]

Ingredients • *330g of rack of lamb • 10ml of sesame oil • 50ml of soy sauce • 50g of bacon • 100g of lamb sausage • 50g butter • 1 egg • 80g white flour, sifted • 100g rice*

Preparation • 1. Season the rack of lamb with sesame oil and soy sauce. Then grill it. 2. In a pan, fry the bacon and sausage in butter. 3. Add the egg and flour.

Completion • 1. In the center of the plate, place the farofa and around it the grilled rack of lamb. Serve it with rice on the side.

RECIPE ▪ Fillet Mignon with purple onion and tangerine sauce ▪ **4 servings**

[Corporate chef Bernard Twardy, from the resort Beach Park, Fortaleza]

Ingredients • *1 kg of fillet mignon prepared (48 hours before use) • 3g of coarse salt, lightly processed in a blender • juice extracted from 6 tangerines (or 300ml of fruit pulp) • 300g of red onion, thinly sliced • 1 tbsp of butter • 3 green squashes • 3 yellow zucchinis • 150ml of olive oil • 500g of Italian mini tomatoes • 1 whole head of garlic, cut horizontally through the middle (keep the whole part of the bottom and loose cloves from the upper part) • 3 sprigs of fresh thyme • 1 tbsp of rapadura, finely chopped*

Preparation of the fillet mignon (48 hours before) • 1. Cut the tips of the fillet mignon. Divide the 1kg of fillet in two loins. 2. Place the loins in a tight container. 3. Salt the loins with 3g of salt, rubbing them evenly. 4. Keep the meat in the refrigerator, covered with food wrap. 5. Turn the loins every 3 hours, so they release blood and create some brine. 6. After a 24-hour cycle, remove the excess brine and place the loins under the sun for 4 hours, turning them every hour. The meat should be protected with a mosquito net to prevent the contact of insects. 7. Pack each loin firmly in food wrap to accentuate the round shape, making knots at each end. Put them back in the refrigerator until the next day.

Preparation • 1. Put the peeled tangerines in the food processor (or 300ml of fruit pulp). Take the juice to heat and let it reduce by half. 2. Sauté the red onion quickly with the butter. Set aside. 3. Add the onion to the tangerine juice reduction and correct the salt. Set aside. 4. Cut the zucchini into equal sections removing the pulp of each one. Chop the pulp that will be used with the tomato. Sauté them over high heat until they are brown, but firm. Dry them with paper towel and keep them in a hot place. 5. In a saucepan with high edge and wide bottom, heat the olive oil well, and place the tomatoes whole, add the garlic, thyme, rapadura and the chopped zucchini. Stir until half the tomatoes melt, check the salt after five minutes and at the end of the cooking (15 minutes). Sieve the mixture to remove excess oil. Keep it in the heat. 6. Reheat the tangerine juice. 7. Take an iron grid to the fire, brush it with oil and when it is very hot, place the loins, without moving them, so the meat is branded by the grill. Turn each side after 2 minutes.

Completion • 1. Cut the filet into 1cm medallions, displaying them on the plate according to the cut. 2. Arrange the zucchini every three strips, overlapping and interspersing in color. 3. Follow with a spoonful of tomato on each side and finalize with tangerine sauce alongside the meat.

5. The State of Rio Grande do Norte

Rio Grande do Norte is the only state where the backwoods meets the sea. Almost 90% of its territory is part of the caatinga. "It is a mistake to consider this biome as being poor in plant and animal biodiversity", emphasizes researcher and Chef Adriana Lucena. "It is semi-arid and not semi-desert!" she adds. During the rainy season, the caatinga becomes surprisingly green, flowery and, in the dry season, it hibernates, becoming dry, brown in appearance, but not dead. "When the rain returns, it resurrects", explains the chef. It is good to be reminded that the sertanejo is a welcoming people and the keeper of a rich history, culture and cuisine. For more than three centuries, the main activity has been cattle breeding and there is where the production of curdled cheese, butter and beef jerky started. The city of Caicó, in the backwoods of Seridó, is considered one of the places that produces the best beef jerky. The local rivers form ponds and from them a real gem is extracted: the roe of curimatã. "The cuisine of the backwoods is not very publicized, but it is one of the richest and most varied of Brazil, still keeping traditional production techniques," says Adriana. In Mato Grande, in full semiarid, Adriana Lucena presented the delicacy of honey bees, native from Jandaíra, to the Gastronomic Expedition team. In Serra do Mel, in western RN, entire families dedicate themselves to the cashew fruit and its nut, in a successful sustainable project. In the fertile Vale do Apodi, the red rice, the staple food of the people, is produced. With beautiful scenery of dunes and wetlands, Costa Branca, to the north, has a rich concentration of clams. Near the coast, in Mossoró, one of the most coveted ingredients of the haute cuisine is extracted, the flor de sal (flower of salt). On the beach of São Miguel do Gosto, Chef Gabriela Salles showed the Gastronomic Expedition team the small fishing village and the variety of fish found there. Still on the coast, the organic oysters are the highlight of Tibau do Sul. Luís da Câmara Cascudo, the great historian and folklorist, was born and lived in Natal, and wrote História da Alimentação no Brasil (*History of Food in Brazil*). Many are the charms of the capital, including the Mercado da Redinha, where one can find a sample of the gastronomy from Rio Grande do Norte.

▪ Mato Grande

The semi-arid climate dominates the micro-region of Mato Grande. It rarely rains, which results in drier vegetation of caatinga, with the predominance of cacti and trees such as the umbuzeiro and the mastic tree. One of the greatest biodiversity of Brazilian insects is in this area, which includes the native stingless bees, which produce honey. In the city of Jandaíra, the small farmer, who lived off cotton for decades, kept creating bees and marketing its honey, following traditional customs. It is there that one can find the greatest number of natural hives. The main species is the Jandaíra bee, so important that it has lent its name to the county. Aiming to encourage families living in Jandaíra and surrounding areas to use new technologies for honey production, agro-ecologists created the Association of Young Friends of the Village of Cabeço, which has the agronomist Júnior Queirós as one of those in charge. One of the initiatives of the association is the sustainable management in order to multiply the bees, increasing the swarm without taking them from nature or destroying the environment. They use modern imported reforestation wooden boxes. With funding coming from the Slow Food Foundation for Biodiversity, which defends the good, clean and fair food, a training course took place in the region of Veneto, Italy. Then, a tent called "mobile didactic apiarist" was built in Jandaíra. Chef Adriana Lucena, from Quinta da Aroeira ranch, is a researcher that encourages economic development connected to the jandaíra bees. She is part of the coordination of the Slow Food in Rio Grande do Norte.

PRODUCT ▪ STINGLESS BEES▪ TERROIR ▪ Indians and caboclos have already known and manipulated the honey from stingless native jandaíra bees (meliponíneas) for hundreds of years. According to popular belief, it can cure colds and the flu. It is appreciated for its smooth and delicate aroma and taste, with more pronounced acidity. The honey is lighter in color and usually well fluid because these bees - responsible for the pollination of plants from the caatinga - are the first to leave at dawn, gathering dew from the white flowers of the caatinga. For all these reasons, people are encouraged to breed the bees in boxes, in their own habitat in the region, preventing the action of the so-called meleiros, who cut down trees such as the amburana - where bees like to make their hives - to extract the honey.

Producer ▪ **Quinta das Aroeiras** [Jandaíra] ▪ *To learn about the sustainable production of the jandaíra bees, the Gastronomic Expedition team went to the ranch of Quinta das Aroeiras, 10km from the town of Jandaíra, in the rural community of Cabeço. Chef Adriana Lucena, the owner, from Natal, assisted the team throughout the trip to Rio Grande do Norte. A lawyer, with a master's degree in agricultural policies, Adriana left everything behind, bought a piece of land with a simple house on it and now she is dedicated to producing revenue from regional produce of the caatinga. In her property, she also has boxes of stingless bees. The chef – specialized in pepper sauces and amazing fruit jellies with a spicy touch, which she markets - makes a delicious ice cream with jandaíra honey and pepper, called Eros and Aphrodite. In the kitchen with a wood stove, she served us coffee with a delicious individual couscous and fresh eggs from the property, in addition to cookies made with butter from the backwoods.*

▪ Costa Branca and the West

The huge dunes and salt pyramids are the postcard for the tourist route of Costa Branca. It begins on the coast of São Miguel do Gostoso and ends in Tibau, on the border with Ceará. In this stretch, the landscape is striking between the caatinga, with its trees like mandacaru, quixadeira, carnaúba, catupira and pereiro, in contrast to the wetlands, rivers and palm trees scattered along the major coves of beaches, many of them still wild. On the beach of Diogo Lopes, part of the municipal district of Macau, we can find a fishing community where the people live off fishing and catching clams. They are aware of the importance of preserving the environment, keeping the Reserva de Desenvolvimento Sustentável Estadual Ponta do Tubarão. To get to the famous salt marsh of Mossoró, we have to go through Ponta do Mel, a beach with a gorgeous and unique landscape, where the typical vegetation of the backwoods, the characteristic cacti, meets the blue of the sea and its white dunes and reddish cliffs. A little away from the coast, Mossoró spreads itself out in mountains of salt. With such abundance, it is the largest producer of sea salt in the country, whose exploitation began in the nineteenth century. Currently, it develops a delicacy for chefs, the flor de sal (flower of salt), famous in Brazil and abroad. In western Natal, in the backwoods, lies the Vale do Apodi, important center in the cultivation of red rice. The production is done by small farmers, gathered in co-operatives which brought an improvement in people's lives and ensured the preservation of the rice crop in the Vale do Apodi. Serra do Mel, located in the micro-region of Assu Mossoró, western area of the state, functions as a large barn of the cashew fruit and its nuts. Thanks to the cultivation of cashew trees by some families and to the co-operative union, this is a successful project that has boosted the cashew nut export.

PRODUCT ▪ INDIANS AND CAB CLAMS ▪ TERROIR ▪ The clam is known on the coast of Rio Grande do Norte as búzio. The geographic location of Diogo Lopes beach, in Costa Branca - formed by an arm of the sea and a sandbank, separated by mangrove and then meeting the open sea – favors the concentration of this shellfish. The dry climate of the caatinga, with an average temperature of 36°C, and with about 400mm of rain only between January and May, also contributes. "The best time to catch the clams is during the drought", says Luiz Ribeiro da Silva, president of the Cooperativa de Beneficiamento de Pescado Costa do Tubarão (Coopescat) and board member of the reserve RDS Estadual Ponta do Tubarão, which the region is part of. Locals like to make recipes such as rice with seafood, omelets and pies, or even season the clams and cook them on their own shell.

Producer ▪ **Recanto do Charéu** [Diogo Lopes, Costa Branca] ▪ *Located on Diogo Lopes beach is one of the most active communities of fishermen and seafood catchers, which is part of the Associação dos Pescadores do Recanto do Charéu. The clams are found in various parts of the beach, but, in some places, a boat is need. The Gastronomic Expedition team followed a day of work of Jose Herminio and his wife, who have been catching shellfish for 12 years. Families are involved: they cook the clams, remove their shells, bag and freeze them. To obtain a kilo of clean clams, 40 kilos of it, with its shell, are needed... an endless work. A kilo is sold for 6 reals for domestic trade or to the middleman.*

PRODUCT ▪ FLOR DE SAL (FLOWER OF SALT) ▪ TERROIR ▪ The salt marshes of Mossoró are located in the flood plain of Mossoró and Do Carmo Rivers, flooded by both the sea and the floodwaters of the rivers. So when the rains cease, there are formations of natural salt marshes 35km from the coast, where the waters reach the sea. The predominant climate in Mossoró is semiarid hot, with temperatures between 24 °C and 35 °C, which facilitates evaporation. Also, the low moisture content of the air, the impermeable soil and the strong winds are favorable conditions for the crystallization and harvest of the salt. The region has recently begun to invest in the production of flower of salt, which are crystals harvested in the surface layer of the salt, and whose extraction process is completely handmade. It starts with the capture of sea water, which is pumped into several crystallizer tanks, where the precipitation or the flower salt takes place. At the moment, it has been harvested manually, very carefully, by a kind of skimmer, and taken into baskets to dry in the sun. After being analyzed, they are packed. Since it is not processed, the flower of salt retains the nutrients from the sea water, such as magnesium and potassium.

Producer ▪ **Cimsal** [Mossoró] ▪ *Founded in 1974, the family business Cimsal represents the third largest salt marsh of Brazil, with 510 employees and a production of 600 tons/year. Since 2006, it has been the pioneer in the country, extracting the flower of salt in Mossoró. The production season is from July to December, when there is no rain. To produce 1kg of flower of salt, 80kg of raw sea salt are necessary. The flower of salt gives a special touch to the completion of dishes. It is a mandatory gastronomic delicacy on the table of anyone who wants to eat well. Roberto de Freitas Fialho Neto, marketing manager at Cisal, accompanied the Gastronomic Expedition team on a visit.*

PRODUCT ▪ CASHEW ▪ TERROIR ▪ Typical of the region, the cashew tree reaches 20m of height and is well adapted to high temperatures, around 30°C, and to the intense brightness. Serra do Mel is the main cashew region of Rio Grande do Norte, with the biggest planted area. The tradition of the plantation of this tree has stimulated the family economy, focused on the artisanal production of nuts and the creation of co-operatives, benefiting the small farmers. "Before we used to sell the raw product to the big industry", says Terezinha Maria de Oliveira Medeiros, president of Coopercaju. "With the co-operative, families can profit 100%."

In the plantations, between one cashew tree and another, they cultivate beans, cassava, watermelon, sesame seeds, and in their properties they raise sheep and cow for milk, which help their livelihood. The pulp of cashew and its nut have high nutritional value and are used in farofas, cookies, breads and pies.

Producer ▪ **Coopercaju** [Serra do Mel, Assu Mossoró] ▪ *Created in 1991, the co-operative cultivates and processes cashews and its byproducts, certified by IBD and FLO, the organ related to fair trade, which respects labor relations and the distribution of profits. About 80% of the income goes to the more than one hundred members. Terezinha showed us the facilities and explained the process: "It's called a nut when the peel is still unripe; after it is toasted, it becomes the cashew almond." Before the nuts reach the co-operative, the members process them. The producer harvests the fruit, puts the nut in the sun to dry, pre-cooks it in water bath in a container to steam, removes the peel with a device that prevents the nut breakage and extracts the husk in the steel greenhouses. Only then the producer takes the product to the co-operative, which will classify them manually and place them in the sterilizer. Today, 70% of the production is exported to Switzerland, Italy and Austria.*

PRODUCT ▪ RED RICE ▪ TERROIR ▪ The table in the backwoods of Rio Grande do Norte and Paraíba has as their traditional everyday food the red rice and, on celebration days, the rice pudding is prepared for dessert, with a hint of cinnamon. Red rice (Ozyra sativa Linn) arrived in Brazil, brought by the Portuguese, in the 16th century. In most regions, it was rejected due to the preference for white rice by the royalty. It resisted as a culture in the semiarid, in the fertile valleys of the rivers Piancó (PB) and Apodi (RN). According to the researcher and Chef Adriana Lucena, "this is a family farming done during the rainy season (January-March), in floodplains; it is harvested by hand and dried in the sun." For the chef, the long tradition of cultivation, the engagement of local producers (from the settlement Lagoa do Saco, rural zone of Felipe Guerra, some 351km from the capital) and the conditions of the soil and climate converge in the process of revitalization of the red rice plantation in the state.

Producer ▪ **Association of Producers of Rice from Vale do Apodi** [Felipe Guerra] ▪ *To learn more about the special red rice, the Gastronomic Expedition team went to Felipe Guerra, in Vale do Apodi and visited the plantation of José Rildo, who has planted the rice since he was a young boy. To do that, he uses a sowing machine and after 20 days he transplants the seedlings. José Rildo and other small producers form the Associação da Lagoa do Saco, in order to grow and develop rice production in a sustainable manner, generating income to the members of the co-operative. During the year, they produce between 5 to 10 tons of paddy rice, sold in bags of 115kg, or processed, per kilo. Consumed in its original form, the red rice has a lot of vitamins and minerals such as iron and zinc, and it has an intense taste. Because of its differential, the demand for red rice is growing among the restaurants located in major consuming centers of the country, such as São Paulo, Rio de Janeiro and Brasília.*

RECIPE ▪ Fillet Mignon Bearnaise of bottled butter and Aroeira ▪ **1 serving**

[Chef Walter Dantas, from Quintal da Villa Restaurant, Currais Novos, RN]

Red rice • ingredients • *1 cup of red rice • 2 tbsp of bottled butter • ½ red onion, chopped • 1 ½ cup of boiling water • 2 tea cups of milk • salt to taste • curdled cheese (optional)* • Preparation • 1. Wash the rice several times and set aside. 2. In a saucepan, heat the bottled butter and add the onion until wilted. Add the rice and cook; pour in the boiling water. Lower the heat. 3. When the water is almost dry, pour the milk and let it reduce over low heat until the point of a risotto. Set aside.

Béarnaise • ingredients • *2 tbsp of vinegar • 2 tbsp of water • 2 tbsp of fresh coriander leaves • 1 medium onion, chopped • 10 grains of aroeira • 3 egg yolks, jumbo type • 100g bottled butter • 100ml of white wine seasoned with pepper to taste • 10 grains of aroeira, a leaf of coriander and two ends of scallions for garnishing • salt to taste* • Preparation • 1. Put the vinegar, water, coriander, onion and the aroeira grains in a saucepan. Boil to reduce by half. 2. Remove, strain and cool. 3. Beat the egg yolks with a tablespoon of water and sift. 4. Add the egg yolks to the butter and the white wine seasoned with black pepper (to taste). 5. Return to heat in a water bath, stirring constantly until thickened. Season it with salt. Set aside.

Fillet mignon • ingredients • *250g of fresh beef tenderloin • coarse salt* • Preparation • 1. Smear salt on the fillet and place it in the fridge for six days, always turning it and removing the brine that it will release. Cut the fillet into tornedor. 2. Grill the tenderloin in butter.

Completion • 1. Put the red rice on a dish. Place the grilled fillet on top of it. Over it, place the butter béarnaise and the aroeira. 2. Garnish with grains of aroeira, a leaf of coriander and two leaves of scallions.

RECIPE ▪ Papa pumpkin shrimp ▪ **1 serving**

[Chef Nívia Pedrosa, from Cook & Luxo Restaurant – Natal, RN]

Cashew reducing • ingredients • *6 cashews washed and cut into 8 pieces • Enough water to cook them slowly • Enough Port wine* • Preparation • 1. Cook the cashews until very soft. 2. Add the Port wine and let it reduce by simmering. 3. Strain the broth and set aside.

Mashed pumpkin • ingredients • *200g of pumpkin cooked in the microwave and mashed • 200g of grated smoked curdled cheese • 40g of fresh cream* • Preparation • 1. After cooking the pumpkin in the microwave for 9 seconds, stir and cook it for another 6 seconds. 2. Mash it and add the cheese and the cream.

Shrimp • ingredients • *8 cleaned pistol shrimps, in their shells • Juice of ½ lemon • Flower salt to finalize • 1 clove of garlic, minced • 2 tbsp of chopped cashews • 2 tbsp of fresh cream • Chopped parsley to taste* • Preparation • 1. Wash the shrimp and dry them one by one. 2. Place them in a preheated skillet. 3. When the shrimp side in contact with the bottom of the skillet becomes rosy, drizzle it with lemon, add the flower salt, garlic, cashew nuts and, in the end, add the cream and parsley finely chopped.

Completion • 1. At the center of the plate, place the mashed pumpkin. Flank it with standing shrimps. Garnish it with fresh coconut chips made in the microwave and with the reduced cashew and chopped cashew nuts.

RECIPE▪ Modern Moqueca ▪ **1serving**

[Chef Gabriela Sales, from Aquarela Brasilis Restaurant - Natal, RN]

Clam moqueca • ingredients • *1tbsp of onion in brunoise • 1tbsp of palm oil • 1 tomato concassé • 100g of clams • 200ml of fresh coconut milk • lady finger pepper to taste • sal to taste* • Preparation • 1. Sauté the onion in palm oil, place the tomatoes and clams. Then, add coconut milk, salt and pepper and let it cook for 5 minutes. 2. Strain the broth into a chinoise and set aside. Reserve also the clams.

Pirão • ingredients • *Broth from the cooked clams • 40g of cassava flour* • Preparation • 1. Bring the broth to a boil. 2. During the boil, add the sifted cassava flour as a cascade and keep stirring. It will be ready when thickened.

Fish • ingredients • *200g of bass fillet • mixed peppers to taste (pink pepper/aroeira, white pepper, black pepper and Jamaican pepper) • a trickle of olive oil • salt to taste* • Preparation • 1. Season the fish with salt and the pepper mix. 2. Put a trickle of olive oil, preferably in a wok, and sear the fish on both sides over high heat. 3. Reduce the heat, cover the wok and let it cook for 3 minutes.

Vegetables • ingredients • *1 small potato • ½ of a small carrot • A trickle of olive oil • 1 clove of garlic, chopped • parsley to taste • salt to taste* • Preparation • **1.** Peel the potato, cut it crosswise and cook it in salted water until it gets al dente. **2.** Cut the carrot into a julienne. **3.** Sauté the vegetables with olive oil and garlic. **4.** Finalize with the parsley.

Completion • ingredients • *shallots cut into serpentine • 1 flower of pau-brasil • 1 shelled clam • 1 shallot root fried in immersion* • Preparation • **1.** In a rectangular white plate, make a bed of vegetables on one end and lay the bass fillet. Above it, arrange the clams. Then the serpentine shallots and the pau -brasil flower. On the side, place the fish sauce, the shelled clam and the shallot root fried in immersion.

▪ Sertão do Seridó

Peaceful cities and hospitable people very attached to their culture and religion... this is the Seridó, a place that still praises ancient crafts such as healers, midwives and cowboys. Known as the capital of embroidery, Caicó preserves the tradition of the rendeiras, women who create the art of lace making, and whose hands produce precious works in the style of Richelieu. One of the main economic activities in this city is the cotton plantation and livestock rearing. Some small family productions stand out, such as the curdled cheese and butter, and others are dedicated to the production of corned beef, which can be purchased in grocery stores and tasted in restaurants and local bars, always accompanied by cassava. The presence of the Seridó River, which bathes part of the region, has created numerous dams, like the Riacho dos Santos dam, in Caicó, where the curimatã fish caught yields a backwoods delicacy: the roe. There is a community that respects nature, preserving the closure of the fish. There are many reasons to go to Caicó, which has a right to the song: "Oh, sister, let me go / Oh, sister, I'll go alone / Oh, sister, let me go / to the backwoods of Caicó". In Curais Novos, which also has the tradition of livestock rearing, the Gastronomic Expedition team met Chef Walter Dantas, owner of the Quintal da Vila Restaurant, and his mother, Mrs. Suetônia, who has been a cook for many years. The restaurant is located in the city center, in a kind of gallery that brings together fashion and thrift stores, besides restaurants where they prepare dishes like the corned beef fillet, made with backwoods butter and coriander.

PRODUCT ▪ CURIMATÃ ▪ TERROIR ▪ The curimatã is a native fish of the rivers of Seridó, a region with a large number of dams that favor the development of this fish. Known as papa-terra, it feeds on the remains of micro-organisms from the bottom of rivers, which gives the fish its characteristic earthy taste. The species found at the region is the most common, and weighs between 600g to 1kg. Traditionally, the highest value is given to their roe, known in the state as "caviar of the backwoods". With its roe, it is possible to prepare stews, fried dumplings and farofa. José Francisco da Silva, an educator of the fish processing connected to the government and the Universidade Federal do Rio Grande do Norte (UFRN), teaches people how to prepare dishes like the stewed curimatã with roe and the breaded fillet, using the whole fish. "When the fish is too small, many people tend to use only the roe and throw the fish away", says Fatima Macedo, head of the local pisciculture station. "We encourage its full use."

Producer ▪ Açude Riacho dos Santos [Caicó] ▪ *The common curimatã is found in abundance in the dams of Caicó, and its roe is quite sought after by locals and restaurants in the northeastern capitals. José Milton and Francisco, fishermen from the Riacho dos Santos dam, showed the Gastronomic Expedition team that they are aware of the closure of the spawning season, when the fish swim up the rivers to breed - between December and March - spawning in the dams, which are filled at this time. Because of that, the fishing is done after this period and people save the eggs during the whole year by freezing them. Chef Adriana Lucena, owner of the Quinta da Aroeira Restaurant, prepared a creative recipe with the roe, cooking them in milk with spices, along with a delicious rice couscous.*

PRODUCT ▪ CURIMATÃ ROE ▪ TERROIR ▪ The curimatã was introduced in Rio Grande do Norte in the large dams of the region of Seridó and then in smaller dams and other regions. This is a fish with a lot of bones, and it is also known as "papa lama" (mud eater). Its meat is very tasty, but not very appreciated, as it is not so easy to prepare. Since the fish cannot hold their natural migration in the dams, they overpopulate them. That is why the fishermen catch the fish with its roe. After the discovery of the great taste of this delicacy, it has become part of Rio Grande do Norte's gastronomic culture. People from Seridó call it the "Northeastern caviar". The great secret of preparing the roe is to use milk to cook it and to "clean" the muddy water that the curimatã eats. The exact point of cooking is when the fish stops releasing water completely; otherwise it will have a taste of clay.

RECIPE ▪ Authentic northeast caviar ▪ 36 servings
[Chef Adriana Lucena, from Quinta da Aroeira Restaurant, Jandaíra, RN]

Ingredients • *3 cloves of garlic • 1 large onion • 1 bunch of cilantro • 1 bunch of scallions • 1 liter of milk • paprika and tomatoes (optional) • 1kg of curimatã roe • 3 tbsp of whipped cream • chopped mint to taste to finish • salt.*

Preparation • **1.** Liquefy all ingredients (except the roe and whipped cream). The paprika and tomato are optional. **2.** Take the roe to a pan, pour the mixture in and stir to dissolve the lumps formed. Take it to heat. **3.** You will notice that the mixture will dry while some water appears. Add more milk as needed and do not forget to stir it, otherwise it will stick in the pan. **4.** The roe will be ready when the water has disappeared completely and it becomes a creamy consistency (about 45 minutes). **5.** Turn off the burner and add two to three generous tablespoons of whipped cream and then correct the salt, finishing with the fine chopped mint.

▪ South Coast

Tibau do Sul houses beautiful beaches full of cliffs, palm trees, fluffy white sand, shells and reefs that break the waves, keeping the waters calm. In this place, lives a small community of fishermen. Some families make their living working at Primar farm, which produces oysters and shrimps. In this municipal district, you can enjoy the cuisine of Camamo restaurant, owned by Chef Tadeu Lubambo. An unusual scenario creates the ambience: torches indicate the path to the restaurant and candles on the table set the stage for a wonderful tasting menu with seven courses, which includes fresh fish. It was in a beautiful full moon night that Lubambo's staff welcomed the Gastronomic Expedition team, serving a drink called pitomba caipivodca, to whet our appetite. The charming beach of Pipa is the favorite spot for young people. It was discovered by surfers in the 1970s. After a lot of sun and hustle at nightfall, it is possible to see at the Dolphin Bay the most adorable of all marine mammals: a real treat, since much of this important biological coast - with sea turtles and an Atlantic forest rich in flora and fauna - is an Area of Environmental Protection (APA), maintained by the Instituto Brasileiro de Meio Ambiente do Rio Grande do Norte (Idema-RN). Its preservation is essential to the conservation of the biodiversity in the region. This lavish nature enabled the development of the eco-tourism in the region, including walks on the beach by foot, on horseback rides, bikes, buggy rides or even in kayaks, boats or by air. It is also possible to rappel down the cliffs, which is quite an adventure!

PRODUCT ▪ ORGANIC OYSTERS ▪ TERROIR ▪ Nature is beautiful and generous for the oyster farming in Tibau do Sul and the men work to keep the waters of estuaries, mangroves and their surroundings clean and free from chemicals. "Moreover, salinity is suitable for the production of oysters", says José de Medeiros Damázio, responsible for the mariculture sector of Sebrae, in Rio Grande do Norte. "The oyster is an asexual clam that feeds by filtration, removing the nutrients in suspension in the water. So if the water is not favorable, the oyster will be harmful to people's health", adds the expert. The production at Primar farm is organic, certified by the Instituto Brasileiro de Biodinâmica (IBD), which includes not only the preservation of the environment, but also the social aspect, since it gives dignified working conditions to its employees.

Producer ▪ **Fazenda Primar** [Tibau do sul] ▪ *Primar farm - founded in 1993 by Alexandre Alter Wainberg, a marine biologist and teacher in aquatic ecology, is a family business with tradition in aquaculture. The farm is installed in São Félix ranch, in Tibau do Sul, with 40 hectares of shrimp and oyster nurseries. In 2002, the farm obtained the organic certification of IFOAM (International Forum of Organic Associations and Movements) and of IBD, promoting management practices of low ecological impact and showing environmental and social respect. In the case of oyster production, it is the only company in Brazil that holds this certification, with its products inspected and tracked down from birth to the table. The water in the nurseries has its pH, salinity, transparency, temperature and oxygen measured three times a day. The couple Marcia and Alexandre, who is building lodgings for students who want to train in the farm, welcomed the Gastronomic Expedition team for a visit to the nurseries. After tasting their raw oysters, Alexander said that he believes that the reputation this shellfish has of being an aphrodisiac is due to the amount of zinc it holds. The mineral contributes to the formation of testosterone, the male hormone.*

RECIPE ▪ Oysters au gratin ▪ **1 serving**

[Chef Tadeu Lubambo, from Camamo Restaurant – Tibau do Sul - RN]

Ingredients • *3 organic oysters • 1 pinch of garlic butter • 1 pinch of gorgonzola cheese • 1 ounce of Cointreau • 1 leaf of basil • juice of oysters (remove the juice while opening them)*

Preparation • **1.** Season the oysters with garlic butter, gorgonzola cheese, Cointreau, basil and finally put the juice from the oysters. **2.** Bake them until the butter and cheese melt. **3.** Remove the oysters from the oven immediately so they retain their texture. **Tip:** the secret lies in putting all the ingredients in very small amounts so the spices can be tasted, but they do not interfere in the flavor of the oyster.

▪ Metropolitan area/Natal

In the Tupi language, the word potiguar - as the people of Rio Grande Norte is called - means "shrimp eater". This makes sense, since the state is the largest producer of this crustacean in the country. In Natal, the shrimp is present on menus of all restaurants, being used in the most varied recipes. One of the busiest beaches in town is Ponta Negra, great place for sightseeing during the day or night. The waterfront is full of restaurants with quality gastronomy, such as Cook & Luxo, owned by Nívia Pedrosa, who is originally from Minas Gerais, but adopted Natal as her hometown. In this charming place, the chef serves bistro food. The beaches of the area, such as Genipabu, are framed by a backdrop of white dunes, which give them incredible brightness and provide an exciting adventure in buggy rides. It is worth visiting the Mercado Redinha and eating the locals' favorite dish, the ginga with tapioca, a crepe made from a small and tasty fish. It was in Natal that Luis da Câmara Cascudo (1898-1986), one of the greatest experts in Brazilian folklore and cuisine, was born. Among the 200 books that he wrote, we can highlight the "Dictionary of Brazilian Folklore" and "History of Food in Brazil". Paying a tribute to this master who rescued the Brazilian identity, the old house where he lived and worked was transformed into the Institute Câmara Cascudo, directed by his daughter, Anna Maria Cascudo, and his granddaughter, Daliana Cascudo Roberti Leite.

Câmara Cascudo and his disciple, Jardelino

The Gastronomic Expedition team met Jardelino Lucena, who was a student and friend of the great sociologist and folklorist Luís da Câmara Cascudo. Lucena is a lawyer and holds a master's degree in sociology of food achieved in Belgium, guided by his master. He has always liked food and wrote the book "Soup is Soup", which has been very successful. He is currently completing his second book on the subject: "Kitchen Fundamentals of Rio Grande Norte, Not Only Pumpkins". "Gastronomy is the image of a people, formed by a set of techniques and processes", explains the friendly expert. His trajectory influenced that of his daughter, Chef Adriana Lucena, who followed her father's legacy as a potiguar kitchen researcher. For many years Jardelino has been patronizing the Peixada da Comadre Restaurant, opened in 1931, and located on the beach of Ponta Negra. "There, the recipe is always the same, fresh fish." He alludes to the famous fish stew, which comes with boiled egg, potatoes, carrots and fish. The restaurant is still run by the same family and is one of the oldest restaurants in Natal.

MARKET

Mercado Municipal da Praia da Redinha • *The beach Redinha takes its name from being a traditional fishing village, where fishing nets, which are extended in the sand, create characteristic scenery. It is complete with the Municipal Market of Redinha, which has the ginga with tapioca, a fish fried in palm oil and served hot inside a crepe as one of its main attractions. It is one of the favorite recipes of Rio Grande do Norte, and it has been served there for over 50 years. Facing the ocean, the stalls also work as bars. It is clear that the supply of fresh fish is one of the differentials of this special place, which features species such as the camurim (robalo) sirigado (whiting) and the grouper, as well as seafood such as the shrimp, crab and lobster.*

6. The State of Amazonas

The trips in the Amazon rainforest are exuberant: a world of water ... a sea of forests. You feel the emotion of being in the largest rainforest on the planet, the biome Amazon, the "lungs of the world", living with the locals: caboclos and the native Indians. To better understand these gigantic dimensions, one can only do it by navigating the great rivers, tributaries and streams, like the Gastronomic Expedition team has done. The Amazon - the largest river by volume of water in the world - crosses the state with the help of its tributaries and it disembogues into the Atlantic. It got its name because of the courage of a tribe formed by women that the Spaniard Francisco Orellana claimed to have found, while navigating in the 16th century. It is an allusion to the Greek legend of the Amazons. "The real Amazonian territory is its waters," theorizes Fabio Silva, a guide, chef and local researcher. Rivers are important sources of food, transport and trade. "Of all diets in the country, the Amazon's is the one that consumes the most fish, about 28kg per capita per year, which means that they eat fried fish even for breakfast", he says good-naturedly. After all, there are about 2,000 species, which result in various dishes - roasts, casseroles, stews and grilled fish. From the agricultural products, the most consumed are the cassava and manioc. "Many fruits appear in almost all areas, such as the cupuaçu and the pineapple, but there are others that are connected to the type of water around them," says Fabio. This is the case of camu-camu and tucuribá, native wetland floodplain. The castanha--do-Pará, with high doses of omegas, antioxidants and selenium, became known by its port of shipping - Pará - but it was recently renamed Brazil nut because the Amazon state produces most of it.

Around 1.5 million species make up the Amazonian biodiversity. In it, we can find guaraná, honey from stingless bees from Maués, açaí from Codajás, cupuaçu, Uarini flour, baniua pepper, jauari palm, arapaima, tambaqui and even edible ants.

▪ Mundurucânia/Maués

It was a thrill for the Gastronomic Expedition team to land at the temple of guaraná in Maués, in the region of Mundurucânia, which ranges from the Madeira River to near the mouth of the Tapajós River, between the river basins of Andirá and Maués. That's where the saterés-maués live, a tribe that speaks Maué, a branch of the Tupi language. They are the inventors of guaraná, turning the wild vine into a viable cultivation, and then beginning the refined processing of the fruit to transform it into a shape of a stick, which is the more traditional way, consumed even nowadays by scraping it with the tongue of an arapaima. Discovered more than 600 years ago, the guaraná was described in 1669, in the first contact with Europeans made by Father John Philip Betendorf: "(...) gives so much strength, that the Indians who go hunting don't feel hungry from one day to the next..." Its culture is so important that one of the festivities of the region is the Guaraná Festival that takes place in November. With far more caffeine than the coffee, the fruit is present in all of the locals' meals: at breakfast, lunch (as an appetizer), and accompanying the tapioca porridge. It's an energetic drink that can be drunk at any time, often in the form of a vitamin. A few years ago the Slow Food Foundation for Biodiversity created, with the Indians sateré-maué, a "fortress" to protect the guaraná sticks and another local treasure: the nectar of native bees. Both, in fact, are closely related, since a part of the nectar is obtained from the flowers of the guaraná plant, which the bees, in turn, help pollinate. The goal is to preserve the authenticity of the guaraná and ensure the survival of the species on its land of origin and where it grows naturally, maintaining the livelihood of the families whose ancestors discovered, many generations ago, the virtues and production process of the fruit, keeping, this way, the tradition of a people threatened by the arrival of large multinational companies.

PRODUCT ▪ NECTAR OF STINGLESS NATIVE BEES ▪ TERROIR ▪ A beautiful Indian legend from the ethnicity sateré-maué tells of the way Anumaré Hit left for the sky, becoming the sun. Uniawamoni, her sister, stayed on Earth, in the form of a bee, to preserve the sacred guaraná forests owned by these tribes, pollinating the flowers of the plant. The meliponinae, small wild bees, do not have a sting and are responsible for distributing the pollen of many other species of the Amazon rainforest. They belong to the Meliponinae family, which includes 300 species of tropical American bees. On the indigenous lands Andirá Marau, where the saterés-maués live, the most common are the abelhas canudos (straw bees), which produce a less dense nectar, with high sugar content and high level of acidity and aroma. They are domesticated in about 20 villages and, with the support of the International Slow Food Foundation for Biodiversity, the idea is to collaborate for the source of income of these communities.

Producer ▪ Association of Beekeepers of Native Bees of Maués Municipal District ▪ *The Gastronomic Expedition team paid a visit to the Association of Beekeepers of Native Bees of Maués Municipal District, led by Teodomiro Rolim, a pharmacist and beekeeper, which currently has 35 producers. The bees build their hives naturally in tree trunks, which would have to be destroyed eventually. That is why the bees are created into boxes, which facilitate their reproduction and then fruit trees can be planted around in the area for pollination. A society of bees can live around 110 days, while the queen reigns for nearly two years. The hives have protective layers of wax, which keeps their temperature at 28 °C. Considered of excellent quality, the honey produced by these bees is valued at about three times that of Apis, the most common honey.*

PRODUCT ▪ GUARANÁ ▪ TERROIR ▪ One of the legends about guaraná tells that a couple from enemy tribes fell in love and ran away, but, struck by lightning, they died entwined. From the eye of the Indian Maué a plant was born and, when it matured, originated the guaraná fruit, whose shape resembles the human eye. The natives Maués have used this stimulant since ancient times and call it "the great Amazon rainforest vine", but it was only in the eighteenth century that German botanist Christian Franz Paullini cataloged guaraná under the scientific name of Paullinia cupana. The saterés-maués use the process of semi domestication: they collect the seeds that fall from the trees and plant them in the clearings where they are irrigated by rain, reaping the fruit before it ripens. It is in the region of Maués that the raw material is collected to produce, one of Brazil's most consumed soft drinks, Guaraná Antarctica, since 1921.

Producer ▪ Saterés Indians ▪ *Sidney, from the ethnicity sateré, is a producer of guaraná in the region. He explained to the Expedition team that the word comes from wará "the source of all knowledge." The families of saterés-maués belong to a consortium of producers in Maués and they harvest tons of the fruit per year, which is then mainly exported to Italy and France. The consortium mission is to strengthen the culture of the saterés who have FGP certificates (related to biodiversity) the IBD (organic products) and the Family Farming Seal. "Everything in our life comes from the wará, and that is why we are the true 'children of guaraná'", says Sidney. The preparation of guaraná is artisanal and involves removing the pulp of the ripe fruit and roasting the seeds in clay ovens. The seeds are peeled, crushed in mortar and shaped into sticks of 100g to 2kg, then smoked with aromatic wood. The powdered guaraná is also produced and sold in Maués, Manaus, Parintins, Santarém and Itacoatiara.*

▪ Solimões River

The Solimões River originates in Peru, crosses the state of Amazonas and travels 1,700km until it gets to Manaus, where, after meeting the Negro River, it receives the name of Amazon River. Solimões derives from Sorimões, the Latin name of the tribe that inhabited that region and used to poison the tip of their arrows. Tefé is one of the main urban centers of the region. Here the Gastronomic Expedition team visited the cold storage plant called Frigopeixe, the second largest company that employs the biggest number of people in the area. The company was able to approach the production chain and the producer, generating jobs and income for both the self-employed or cooperated fisherman and the small distributors. A trip to Mamirauá - to talk to the fishermen about the handling of arapaima and tambaqui - was made by boat, led by Cláudio, who took the team through holes and channels, passing alongside 2-meter long alligators, a thrill to those who live in a metropolis! After a beautiful sunset, the journey continued for many hours, among several rivers and lakes, until Maraã, one of the gateways to the reservation, on the banks of the Japurá River. Mamirauá, which also comprises the municipalities of Uarini, Fonte Boa and Maraã, is the first Brazilian nature reserve of sustainable development, created in 1996. A very special place, it has a complex ecosystem, with lakes, lagoons, islands, sandbanks, channels, which are half of the year under water. From it comes the incredible diversity of aquatic and terrestrial habitats in constant transformation. This is why life in the floodplain is defined by the dynamics of the water. Another destination for the Gastronomic Expedition team was the Igarapé de Samaúma, on Janauacá Lake, in an exit of the Solimões River, to learn about the production of tucupi and gum. From the boat, where we spent the night, sleeping in hammocks, we saw the beautiful sunrise. We had the company of Philip Schaedler, - voted Best Chef and his restaurant, O Banzeiro, won the award Best Ribs of Tambaqui, given by Magazine Veja Manaus - and Fabio Silva, who prepared us a delicious breakfast: a superb granola with nuts and local fruit, scrambled eggs, juice, coffee and milk.

PRODUCT ▪ ARAPAIMA E TAMBAQUI ▪ TERROIR ▪ One of the biggest fish from the Amazon basin - and certainly the most famous - the arapaima, can reach 3m in length and weigh 200kg. It usually lives in rivers and lakes with calm waters. In the Tupi language, its name means "fish (pirá) red (urucum)", due to the color of its tail. Even though it is a tough fish, it is also vulnerable because it comes up for air every 20 minutes and the females make their nests near the flooded banks and then take care of its fries there. Thus, it becomes an easy prey for fish nets and harpoons. "Until recently, we used to fish the arapaima for our survival without an authorization from IBAMA, and they were disappearing", said Luiz Gonzaga, former president of the fishing colony, who encourages the communities to work in the project of handling the arapaima, the Sustainable Development of the Reserve of Mamirauá, in Manaã. Luiz Gonzaga said that his community uses the whole fish: the head is roasted over coals and even the cheeks and tongue are eaten, the belly is roasted with the scales; the tail is used in a stew, with pumpkin, cassava, tomatoes and onions.

PRODUCT ▪ TAMBAQUI ▪ TERROIR ▪ The tambaqui fish lives in the igapó - wetland forest - adapted to the warm and calm waters, and it grows to an average of 28kg. Some specimens could reach 42kg, though. It feeds on sediment and fresh fruit from that habitat, such as the camu-camu. This diet allows a consistency of softer and more delicate texture, with long fibers and fat separated from the flesh. In this region of the Solimões River, the tambaqui is very tasty and can be used in many dishes, from a stew to fried fish. "It's one of the tastiest grilled fish I've ever had", says Fábio Silva, chef and researcher of the Amazon kitchen. He prepared the Tambaqui à Igapó for the Gastronomic Expedition in his own boat. In Maraã, in the Mamirauá Reserve, the Association Sector Jarauá develops a project of handling the arapaima and tambaqui. More than a hundred people catch five tons of them between August and November.

Producers ▪ **Industry of Codfish from the Amazon** [Maraã] ▪ **Association Sector Jarauá** [Arapaima and Tambaqui Handling] ▪ *The Gastronomic Expedition team was taken to see the salting of the arapaima at the first industry of Amazonian cod, in Maraã, a project of the government of Amazonas, with the support from the Ministry of Science and Technology. The goal is the processing of the fish caught by the colony of fishermen, which currently has 720 members, of which 280 are women. The community is part of the Sustainable Development of the Reserve of Mamirauá that has been working with the sustainable handling of the arapaima since the year 2000, fulfilling rules for the species preservation. "Being an artisanal fisherman is a profession of great dignity, and to see a canoe full of fish is a great accomplishment!" says Luiz Gonzaga. Irineu Medeiros, 27, is a technician in the Amazon cod industry and one of the employees who work in the reception of the fish and the salting procedure. The cuts used are the fish fillet and the loin. The proposal is to produce 1,500 tons per year, respecting the natural resources. To get an idea, only 30% of the adult species are caught. The factory purchases directly from the fishermen, who also participate in the profit sharing. Still in the Mamirauá Reserve, in Jarauá, the Gastronomic Expedition team visited the Association Sector Jarauá – Handling of Arapaima and Tambaqui, which was presented by its chairman, Lazarus Alcimar Sousa da Silva. The association has 131 members and they catch five tons of fish per year. The best time for fishing is between August and September, but it is done until November.*

PRODUCT ▪ TUCUPI AND GUM ▪ TERROIR ▪ The humid tropical climate and the alluvial sandy soil of surfacing organic deposits such as the Igarapé de Samaúma, on Janauacá Lake, are ideal for the cultivation of cassava, "the queen of Brazil." The use of this tuber shows how the Amazonian natives and cablocos are bounded to the land and their ancestry. There are more than 80 Brazilian species of cassava, which can be divided into two categories: a "gentle" (manioc or cassava) and a "rough" kind, which has a poison, the anhydrous acid that needs to be removed and is considered fatal, if ingested. For this, the cassava is grated and the yellow broth is squeezed out and then boiled for several hours, resulting in the tucupi, which serves as basis for the tacacá and fish stews. The dough is used to prepare several flours. When you let the dough settle at the bottom of a container, you get what is called gum, and with it, it is possible to make tapioca flour and tapioca cake, which are part of the breakfast in the Northeast.

Producers ▪ **José Cordeiro de Lima** [Igarapé do Samaúma, Janauacá Lake] ▪ *In Janauacá Lake, at the mouth of the Igarapé de Samaúma - named after the largest tree species in the Amazon rainforest, which reaches over 100m high – the Gastronomic Expedition team visited the floating ranch owned by José Cordeiro de Lima, Mr. Zé Meruoca, a major producer of tucupi and gum in Amazonas. He expressed his anger toward the differences in treatment by the municipality: he does not have electricity available and has to ask his neighbor to use his pole, paying for all the wiring himself. His house, which is next door, has an amazing kitchen, all green and full of pots and lids hanging on the wall. He has worked there for 30 years. We visited his manioc plantation, entering the arms flooded by the river in his canoe, a remarkable scene. Back to the Expedition boat, some dishes from the book were prepared: Tambaqui a Igapó, made by chef and researcher Fabio Silva, and Arapaima Trilogy, by Chef Philip Schaedler.*

RECIPE ▪ Tambaqui fillet à Igapó with curdled cheese risotto and pepperoni ▪ **5 servings**

[Chef Fabio Silva, from Amigos da Floresta Restaurant – Manaus, AM]

Risotto • Ingredients • *150g of curdled cheese cut into cubes of 1cm 3 tbsp of pepperoni, in flakes • 2 cups of good quality long grain parboiled rice type 1, unwashed • ½ grated onion • 2 cloves of garlic, thinly chopped • 2 tbsp of oil or olive oil • 4 cups of boiling water • salt to taste* • Preparation • 1. Once the cheese is cut, mix it well with the red pepper flakes and set aside for at least 2 hours. 2. Start preparing the rice as usual: sauté the onion and garlic in oil or olive oil. Fry the rice briefly then add the boiling water and salt. 3. Before the rice is completely dry, remove it from the heat and place it in a preheated baking dish and gently mix the cheese with the pepper.

Tambaqui fillet• Ingredients • *5 tambaqui fillets of approximately 180g each • 2 ½ liters of extra virgin olive oil • 3 cloves of garlic, peeled • 1 large bunch of fresh rosemary* • Preparation • 1. Once clean and without any seasoning, dry the fillets with paper towel and arrange them in a baking dish so they won't touch one another. 2. Pour in all the olive oil (add more if needed, the oil must cover the fish completely), spread the garlic cloves and place the sprig of rosemary. 3. Take the baking dish to the oven without preheating it and keep the temperature at 80ºC, not exceeding it. 4. Watch it for the next 20 minutes so that the submerged fish does not form bubbles - which would indicate that the oil temperature is above 80ºC. If this happens, open the oven and let it vent a little to lower the temperature rapidly. If your oven is a conventional one, put a shim at the oven door so it remains open about 7cm.

Completion • 1. Remove the dish from the oven and assemble it with a serving of risotto, a filet of fish and steamed vegetables (heart of palm, broccoli, green olives, cherry tomatoes and mini carrots), drizzled with a few spoons of olive oil used in the fish.

RECIPE ▪ Arapaima Trilogy▪ **1 portion**

[Chef Felipe Schaedler, from O Banzeiro Restaurant – Manaus, AM]

Risotto • Ingredients • *30g of dry arapaima, desalted • olive oil to taste • 1tbsp of diced onion • 3 tsp of butter • 30g of toasted Brazil nuts • 40g of coconut milk • blades of pacovan banana • 1 tbsp of red pepper, chopped • 1 tbsp of green pepper, chopped • 30g of Uarini flour • 35g of fresh arapaima • 30g smoked arapaima • salt to taste.*

Preparation • **1.** Bake the dry arapaima with olive oil in the oven at 160ºC for about15 minutes. **2.** In a saucepan, sauté part of the onion in a teaspoon of butter, place the nuts and then the coconut milk. Correct the salt. **3.** Grill the banana with another tablespoon of butter in a nonstick skillet. **4.** Separately, sauté the other part of the onions in the remaining butter, add the pepper and the flour until it is very crispy. **5.** Grill the fresh and the smoked fish in a pan with a trickle of olive oil.

Completion • **1.** Arrange the Brazil nut cream, the bananas and farofa on a platter. **2.** Place the fish over the nut cream; place the smoked fish over the bananas and the dry fish over the farofa. **3.** Garnish the dish with trickles of oil and serve immediately.

▪ Metropolitan area/Manaus

Right after the arrival in Manaus, the Gastronomic Expedition team met Fabio Silva, a researcher, guide, cook and almost caboclo – originally from São Paulo, who has lived in Amazonas for 30 years. He took the team to taste one of the meals most appreciated by the locals: fried fish (in this case, the tambaqui) with rice, vinaigrette, pepper and flour, served at the fishmonger Bia's Restaurant, at Ceasa. It was there that we took the boat to see the famous "meeting of the waters". Less than half an hour on the boat and it is already possible to witness the Negro and Solimões rivers running together, for more than 6km, without mixing one into the other. A real painting outdoors, where one can contemplate the rare beauty of the different colors of the two rivers, clearly forming a dividing line. The Negro River, the second largest in the world by volume of water - the first is the Amazon itself, which the Negro helps form -, originates in Colombia and meets the Solimões, after passing through Manaus. It was through this mighty river, with black water, that the Gastronomic Expedition team sailed, discovering both special products and people, such as the Toucan Indians, who develop the so-called "black earth", which is fertile for cultivation. We followed their trail in hunting the maniuara, the "edible ant", and followed up their production of black tucupi, true local delicacy. The team also talked with caboclos who produce the tasty farinha d'água (water flour), jambu and a commendable organic culture, breaking the paradigm that the inhabitants of the Amazonas do not have the habit of agriculture, but dedicate themselves only to hunting and the gathering and cultivation of cassava. "Only those who come here can feel and understand the river, its rare people and its stunning beauty", says Fábio Silva, revealing his passion for the Amazon region. It was precisely during the flood season, in May, that the Gastronomic Expedition team was there, feeling up close the adversity that the people have to face when the river overflows, rising several meters - in 2012 it rose almost 30m - flooding the coastal regions. In the capital Manaus, the team also counted on the help of another expert, Chef Maria do Céu, owner of Studio 5, a catering kitchen that rescues the Amazonian kitchen and favors small producers. She prepared two recipes for the book, with the fish matrinxã and aruanã. The Gastronomic Expedition team also visited the Banzeiro, the home of Chef Philip Schaedler, who accompanied the expedition members on some visits. Manaus still attracts tourists for its historical monuments such as the Teatro Amazonas, which delights people for its architecture and beautiful spectacles. In front of the theater, Armando's bar offers a good cod croquette and ham sandwich. In the late afternoon, like the locals, members of the Gastronomic Expedition team, enjoying the pleasant company of Maria do Céu, had the "tacacá at five." And, of course, to endure this marathon of visits, under a 40ºC sun and prevalent humidity, Fabio took everyone to taste a traditional shake, in the center of Manaus, at Ponto do Guaraná. Among the many recipes, the place included a mixture of Brazil nuts, honey and lemon. Truly energizing!

PRODUCT ▪ MANIUARA HUMP AND BLACK TUCUPI ▪ TERROIR ▪ A native from the upper Negro River, the Toucan Dessana community lives along the tributaries Içana, Cubate, Uaupés and Tiquié. It is customary for these natives to pick the maniuara, a species of edible termites, whose heads are eaten in a farofa with peppers. The termites are removed mainly in the floods, but they can be collected all year long and it is an activity done by the women. The black tucupi is nothing more than a slow reduction of the yellow broth extracted from the wild manioc. "In the upper Negro River, its tradition equals the one of the yellow tucupi", says researcher and guide Fábio Silva. With the black tucupi it is possible to prepare soups and stews, and it can also be used as a condiment. "In other areas of the Amazonas, the black tucupi is almost as unknown as it is in São Paulo", says Fabio. "It comes originally from the Toucan Dessana tribe, but it is also found in the Macuxi, in the state of Roraima, and Baniuas in the Amazonas, among others." About ten years ago the Toucan Dessanas started the Indigenous Community of Tupé, with approximately 80 families, installed in the Environmental Protection Area belonging to Manaus. The state and local departments of the Environment and the IBAMA authorized them to settle there, provided it is solely for cultural development and handling, as they do indeed.

Producer ▪ **Indigenous Community of Toucan Dessana of São João do Tupé** ▪ *The Negro River is gorgeous! It looks like black tea, quiet, and mysterious. On the river, sailing on a motorboat, the Gastronomic Expedition team paid a visit to the Toucan Dessana community for an experience of Indigenous food (maniuara, black tucupi and tapioca) and met chief Domingos Thoalamü (his first name is Portuguese and his surname comes from the dessana ethnicity), his wife, Yossokamo (Teresinha), and Miriõ (Cláudia). To the women belongs the work to collect the maniuaras ants, which are, in fact, termites. The three of them painted their bodies and followed the trail in search of the maniuaras. To hunt them, it is necessary to smoke the hole they are in and put a branch, so the termites bite it and get caught, up to 10-15 at a time. At the end of the hunt, the village begins the preparation of the tapioca flour and the black tucupi with maniuaras and murupi peppers, and heads of fish and chili. They also collect and eat sauba and tanajura ants. At their departure, the chief and his son Guy played a sort of giant flute with a unique sound, ending the tour with a flourish.*

PRODUCT ▪ WATER FLOUR ▪ TERROIR ▪ The Negro River State Park is located on the left bank, in the creek of Jaraqui, 40km from Manaus, with fluvial access. The community of Bela Vista Jaraqui, one of the most populous of the park, lives off the cassava primarily and the production of water flour. The tuber is planted in lowland soils with firm land. This shows that the root, the main local carbohydrate, adapts well to the climate and soil conditions of the region. To produce the water flour, it is common to peel the cassava and put it in a bag and then in the running water of the creek to ferment for hours, turning it into a yellowish color. Bela Vista, the first community to develop a community-based tourism, is a national reference in long distance learning, thanks to members like Manoel Gomes Ferreira, who did a good job bringing awareness about the traditions and the environment.

Producer ▪ **Manoel Gomes Ferreira** [São José Ranch, Community of Bela Vista Jaraqui] ▪ *Taking a ride on the voadeira, the typical local boat, the Gastronomic Expedition team went up the* *river to Bela Vista Jaraqui and, mid-afternoon, we saw the paradisiac place where Manoel lives and was processing the flour. Friendly, he welcomed the team showing us everything in his lot: pigs, chickens, manioc, cupuaçu, tucumã, nuts and açaí. This typical caboclo - who is a jungle tour guide and delegate of the Rural Union of Carrero, Manaus and Iranduba - lives off what the forest gives him and has lived in São José Ranch, with his wife, daughter, son-in-law and granddaughter for 44 years. In his land, he built, with his son-in-law, an inn and a campsite in the jungle, to receive tourists and exchange students from all over the world. "Only those who visit here can understand the life of a caboclo", he comments. The visit was crowned with an indescribable sunset. After that, the Gastronomic Expedition team tasted jaraqui, the most popular fish in the region, accompanied by the water flour toasted in the afternoon; for dessert, cupuaçu and nut bonbons produced by the community. Our leaving was very quiet, sailing the mysterious river.*

PRODUCT ▪ ORGANIC ▪ TERROIR ▪ The agriculture does not belong to the local tradition, even with the waters of the floodplain being renovated at each flood, offering fertile land for cultivation. Some Amazonian producers, however, have been devoting their talent to the organic production. The native ingredients - like a good variety of tubers, the tucumã and cupuaçu - are easier to work with, but others require some special care. The producers follow the best practices for organic crops, such as five years of soil resting, raw materials, natural protection in the surrounding areas and the multi cultivation. The Socio Participatory Certification Seal from the Network TIPITI is ongoing and it assures the origin and the appropriate production to the consumers, respecting the environment and the family farms, according to the Organic Law (n.10.831/2003).

Producer ▪ **Raimundo Moura** [Santo Expedito Farm] ▪ *Raimundo tells the Expedition team that he is passionate about organic production. After starting the production for his own consumption, his friends began making requests, which eventually created a demand. Meeting the requirements of organic farmers, he cannot use chemicals such as pesticides and fertilizers; he uses a composting system and has ecological corridors with natural defenders, where other plants fight off pests such as the nettle. Currently, he plants potatoes, taro, turmeric, vinagreira, tucumã, cupuaçu, lettuce, arugula, mizuna, ora-pro-nobis and bok choy. Raimundo is the president of the Association of Organic Producers of the Amazonas (Apoam), with 18 members, which sells its produce at the fair organized by the Messianic Church Johrei Center, on Mondays; on Saturdays, they sell their food in the Map Fair, in Manaus, with other organic farmers.*

PRODUCT ▪ JAMBU ▪ TERROIR • The jambu is an herb, originally from the Amazonian region, which numbs your mouth and brings you a menthol sensation, that is explained by the fact that it has a substance called espilantol in its composition with anesthetic properties and causes excess salivation. Widely used in the regional cuisine, it is one of the main ingredients of the emblematic tacacá, a recipe of the Indian heritage that also uses the hot broth of tucupi, gum and dried shrimp, served in a bowl. In Manaus, it is common to find the tacacá on the streets and squares, sold in several stalls where the locals like to enjoy this traditional soup, especially in the late afternoon. This vegetable grows well with the heat during replanting and it likes rain. "It is in the right place", says the guide for the Gastronomic Expedition team, Fabio Silva. The secret of its cultivation is the floodplain and the sediments deposited during the floods.

Producer ▪ **Renascer Community** [Marchantaria Island – Vila Nova Renascer, Iranduba] ▪ *In the Renascer community on the Marchantaria Island, in the outskirts of Manaus, the small farmer José Roberto Queiroz Nogueira, who has worked in the land for ten years, has as his main livelihood the plantation of jambu. When the Gastronomic Expedition team visited the site, his jambu plantation was completely under water due to the excessive rainfall. For the next season, he has saved some jambu seedlings, placed on a shelf. From August to April, José Roberto usually reaps about 800 wads. Besides the jambu, he and his family grow cucumber, cabbage, beans, chicory, lettuce, scallions, cilantro and potatoes. He delivers his produce twice a week at the Feira Manaus Moderna. In his past harvest, he had to buy some wads of jambu from his cousin. The floods bring many troubles and losses throughout the region of the Amazon River and its tributaries, and the families have to leave their houses and wait until the water goes down to return home. José Roberto has found a solution: he built a second floor in his house, in case the river rises higher than expected.*

RECIPE ▪ Crunchy Aruanã fillet with farofa of water ▪ **20 servings**

[Chef Maria do Céu Athayde, Centro de Gastronomia - courses and catering - Manaus, AM]

Farofa • ingredients • *150g of tomatoes • 150g of onions • 100g of bell pepper • 20g of hot pepper • 1 murupi pepper • 100ml of olive oil • 100ml of vinegar • 20g of salt • 1 bunch of parsley and scallions, sliced • 1kg of Uarini flour* • Preparation • 1. Cut the tomato, onion, bell pepper, and diced hot peppers. Set aside. 2. Chop the murupi pepper and set aside. 3. Mix the olive oil, vinegar and salt. 4. Add the peppers and the sliced parsley and scallions. 5. Stir in the tomatoes, the bell pepper, onions and mix well. 6. Sprinkle over the flour and stir quickly. Serve. Note: if the farofa gets too dry, add water gradually until moist.

Aruanã fillet • ingredients • *600g of aruanã fillet • 50ml of lemon juice • 100g of bread crumbs (coarse) • 900ml of oil to fry • enough flavored butter of your preference • salt to taste* • Preparation • 1. Wash the fillets with water and season them with lemon and salt. 2. Drain and dry the fillets. 3. Bread the fillets with bread crumbs and fry them in hot oil. 4. Remove from heat and let them drain. 5. Top with seasoned butter of your preference. Serve hot. 6. Serve it with the farofa.

MARKETS

Feira Manaus Moderna ▪ *Beside the Mercado Municipal de Adolpho Lisboa, built in art nouveau style, is the Feira Manaus Moderna. Located in front of the Negro River, a gateway of goods, the place buzzes with people and stories. The team woke up early to have breakfast at Faustão's stall, where we ate tapioca stuffed with curdled cheese and tucumã and drank delicious fruit juices. Only then we were ready to unravel this universe of Amazonian ingredients. The buzz is formed in the corridors that sell Brazil nuts, flours - with an incredible amount of variety -, vegetables and, finally, the fish, such as the tambaqui, jaraqui and many others, showing the incredible diversity of species from the Amazonian waters. It is a full display for local chefs to enjoy. The Gastronomic Expedition team witnessed a marketer hiding some arapaimas that he was selling, because the season had been closed. As he spotted our cameras, he began putting everything away.*

Banana street fair ▪ *The banana is present in all daily meals of the locals, and it makes them feel homesick when they are away from their land. That's why there is even a Banana Fair, in Manaus, with many different options to buy. On a visit to the fair, the team met Moacir, who has been a banana entrepreneur for over 15 years, selling many varieties, including the local pacova banana. To get an idea of the scale of this trade, Moacir buys from many different producers and sells 3,000 bunches per day, each with about three dozen bananas. Of this amount, 60% are the pacova banana. Although the banana is considered the flagship, there are also other outstanding products at the fair, such as watermelons, tucumãs, pupunhas, papayas and gums.*

BIBLIOGRAFIA

BOSÍSIO, Arthur; LODY, Raul; MEDEIROS, Humberto. *Culinária amazônica: o sabor da natureza* (Amazon Cuisine: the flavor of nature). Rio de Janeiro: Senac Nacional, 2000.

BOSÍSIO JÚNIOR, Arthur. *Culinária nordestina: encontro de mar e sertão* (Northeastern Cuisine: the encounter of the sea and the backland). Rio de Janeiro: Senac Nacional, 2001.

CAMINHOS DO FAZER. *Guia de produtos associados ao turismo* (WAYS OF DOING. A Guide of Products Associated with Tourism). Brasília: Sebrae/MTUR, 2007.

CARVALHO, Ana Judith de (Org.). *Cozinha típica brasileira: sertaneja e regional* (Typical Brazilian Cuisine: regional and sertaneja). Rio de Janeiro: Ediouro, 1998.

CASCUDO, Luís da Câmara. *Dicionário do folclore brasileiro* (Dictionary of Brazilian Folklore). São Paulo: Objetiva, 2000.

CASCUDO, Luís da Câmara. *História da alimentação no Brasil* (The History of Food in Brazil). São Paulo: Edusp; Belo Horizonte: Itatiaia, 1983. v. 1 e 2.

CATÁLOGO DE EMPREENDIMENTOS. *Plano Nacional de Promoção das Cadeias de Produtos da Sociobiodiversidade* (CATALOGUE OF PROJECTS. National Plan of Promotion of Chains of Socio-biodiversity Products). Rio de Janeiro: Gráfica Brasil, 2012.

CHAVES, Guta; FREIXA, Dolores. *Gastronomia no Brasil e no mundo* (Gastronomy in Brazil and Around the World). Rio de Janeiro: Senac Nacional, 2009.

CHAVES, Guta; FREIXA, Dolores. *Larousse da cozinha brasileira: raízes da nossa terra* (Larousse of Brazilian Cuisine: roots of our land). São Paulo: Larousse, 2007.

FERNANDES, Caloca. *Viagem gastronômica através do Brasil* (Gastronomic Journey Through Brazil). São Paulo: Senac São Paulo; Estúdio Sonia Robatto, 2000.

JUNIOR, Chico. *Roteiros do sabor brasileiro: turismo gastronômico* (Guide to Brazilian Flavors: gastronomic tourism). Rio de Janeiro: CJD Edições e Propaganda; Sebrae, 2005.

JUNIOR, Chico. *Roteiros do sabor do estado do Rio de Janeiro* (Guide to Flavors of the State of Rio de Janeiro). Rio de Janeiro: Senac Rio, 2007.

LEITE, Daliana Cascudo Roberti. *Artes e rituais do fazer, do servir e do comer no Rio Grande do Norte. Uma homenagem a Câmara Cascudo* (Arts and rituals of making, serving and eating in Rio Grande do Norte. A tribute to Câmara Cascudo). São Paulo: Senac São Paulo, 2007.

LODY, Raul. *Brasil bom de boca* (Brazil Good Eater). São Paulo: Senac São Paulo, 2008.

NUNES, Márcia Clementino; NUNES, Maria Lúcia Clementino. *História da arte da cozinha mineira por Dona Lucinha* (History of the art of the cuisine from Minas Gerais by Dona Lucinha). São Paulo: Larousse, 2010.

RIBEIRO, Joaquim. *Folclore do açúcar* (Sugar Folklore). Rio de Janeiro: Fundação Nacional de Arte, 1977.

SILVA, Paula Pinto. *Farinha, feijão e carne-seca* (Manioc Flour, Beans and Beef Jerky). São Paulo: Senac São Paulo, 2005.

SILVA, Silvestre. *Frutas Brasil frutas* (Fruit Brazil Fruit). Barueri, SP: Gráfica Círculo, 1991.

SUASSUNA, Ana Rita Dantas. *Gastronomia sertaneja: receitas que contam histórias* (Sertaneja Gastronomy: recipes that tell stories). São Paulo: Melhoramentos, 2010.

TRINDADE, Garcia. *Cachaça, um amor brasileiro. História, fabricação, receitas* (Cachaça, a Brazilian Love. History, manufacturing and recipes). São Paulo: Melhoramentos, 2006.

www.brasilbio.com.br/pt/

www.estradareal.org.br

www.ibge.gov.br/home/presidencia/noticias/noticia_visualiza.php?id_noticia=169

www.projetorota232.com.br

pt.scribd.com/doc/18649328/A-EMBRAPA-Nos-Biomas-Brasileiros-Laminasbiomas

www.redecerrado.org.br

www.slowfoodbrasil.com/arca-do-gosto

www.viagemdeferias.com/recife/passeios/pernambuco/engenhos-e-maracatus.php

AGRADECIMENTOS/*THANKS*

Foram tantas as contribuições para a realização desta obra que não nomearemos uma a uma aqui, pois poderíamos esquecer alguém. Mas, em primeiro lugar, gostaríamos de enfatizar que não haveria este livro sem a participação ativa e afetuosa de produtores, comerciantes dos mercados, feirantes e chefs de cozinha, todos personagens principais deste projeto, que formam uma cadeia produtiva. Para a verificação das informações foi fundamental a ajuda das associações de produtores e criadores, cooperativas de agricultores familiares, programas de apoio ao desenvolvimento sustentável, associações de bares e restaurantes, prefeituras, secretarias de Turismo, Cultura e Agricultura dos estados e cidades contemplados, unidades do Senac e do Sebrae locais, comunidades indígenas e quilombolas e assessorias de imprensa. No entendimento dos biomas, nos auxiliou Vicente Eudes Lemos Alves, professor doutor do Departamento de Geografia da Unicamp. Merecem um agradecimento especial os seguintes profissionais e instituições, cuja relação segue abaixo, por estado.
Rio Grande do Norte ▪ As chefs Gabriela Sales e Adriana Lucena, que colaboraram na pesquisa e nas visitas a campo. Amazônia ▪ Fábio Silva, chef e turismólogo, da empresa Amigos da Floresta, em Manaus, que apoiou em toda a logística no Amazonas. Chef Felipe Schaedler, do restaurante Banzeiro, que também acompanhou a Expedição. Instituto de Desenvolvimento Agropecuário e Florestal Sustentável do Estado do Amazonas (Idam). Minas Gerais ▪ Eduardo Avelar, Eduardo Maya e Ralph Justino, da Conspiração Gastronômica; chef Elzinha Nunes, do restaurante Dona Lucinha. Pernambuco ▪ Chef César Santos, Letícia Cavalcanti (escritora e jornalista especializada em gastronomia), Vanessa Lins (jornalista gastronômica do Caderno Sabores, da *Folha de Pernambuco*). Rio de Janeiro ▪ Chef Teresa Corção, que colaborou na identificação da feira de orgânicos. Ceará ▪ Associação de Gastronomia do Ceará.
Agradecemos, enfim, a todos que nos receberam com muito carinho e atenção, que nos hospedaram com generosidade, sempre dispostos a ajudar, acreditando nesse sonho de um Brasil mais solidário, justo e com uma variedade incrível de alimentos, que se justifica pela riqueza de biomas e se expressa no prato, seja ele do camponês ou do restaurante de alta cozinha. Muito obrigada!

Equipe Expedição Gastronômica [livro, vídeo e blog]

There were countless contributions to the accomplishment of this work, which would not be possible without the collaboration of producers, traders of markets, merchants and chefs, active participants in this project. We also counted with the help of associations of producers and farmers, cooperatives of family farmers, the programs of support to sustainable development, associations of bars and restaurants, municipalities, the departments of tourism, culture and agriculture, Senac, Sebrae, indigenous communities and the press offices.We thank Vincente Eudes Lemos, Professor at UNICAP, Department of Geography. We would also like to make special thanks to the following professionals and institutions, whose relationship follows below, by State:
RIO GRANDE DO NORTE • Chefs Gabriela Sales and Adriana Lucena, who collaborated with research and field visits. AMAZONAS • Fábio Silva, chef and tourism specialist, from the company Amigos da Floresta, in Manaus, which supported the Expedition team with the logistics in Amazonas. And Chef Philip Schaedler, from Banzeiro Restaurant, who also accompanied the Expedition.
IDAM (Institute of Agricultural Development and Sustainable Forestry of the Amazonas State)
MINAS GERAIS • Eduardo Avelar, Eduardo Maya and Ralph Justino, from the Conspiração Gastronômica; Chef Elzinha Nunes, from Dona Lucinha Restaurant.
PERNAMBUCO • Chef Cesar Santos, Letícia Cavalcanti (writer and journalist specialized in gastronomy), Vanessa Lins (gastronomic journalist from Caderno de Sabores, from Folha de Pernambuco)
RIO DE JANEIRO • Chef Teresa Corção, who collaborated in the identification of organic fairs.
CEARÁ • Gastronomic Association of Ceará.

Gastronomic Expedition Team [book, video and blog]